W9-DCB-770

Progetti per la Giudecca *Projects for the Giudecca*

Venezia - Sacca San Biagio Ovest

a cura di - *Edited by* Arthur H. Chen e Francesco Calzolaio

***V**enice **L**agoon **F**oundation*

I contenuti di questo volume sono stati elaborati a Venezia, in occasione del Laboratorio di Progettazione del College of Architecture and Landscape Architecture (CALA), "Progetti per la Giudecca - Isola di Sacca San Biagio Ovest" (1 aprile - 14 maggio 2003), svolto in collaborazione con VESTA e con il patrocinio dello IUAV.

The contributions of this volume were produced in Venice, during the College of Architecture and Landscape Architecture (CALA) Design Workshop; "Projects for the Giudecca - Island of Sacca San Biagio Ovest" (April 1st - May 14th 2003), sponsored by VESTA and with the contribution of the IUAV.

Si ringraziano - *Special thanks to*
Comune di Venezia
Consiglio di Quartiere 2
Edilvenezia
Reale Società Canottieri Bucintoro

Progetto Grafico - *Design*
www.francescocalzolaio.it

Impaginazione - *Layout*
Alessandro Ungaro

Traduzioni - *Translations*
Jennifer Knaeble, Alessandro Ungaro

stampato da / *Printed by* :
Grafiche Biesse, ottobre 2003

ISBN: 88-89105-00-3

indice - contents

VESTA, la società per azioni che si occupa della gestione del ciclo unico dell'ambiente e dei servizi al territorio è particolarmente interessata all'area oggetto del workshop organizzato a Venezia, nella scorsa primavera, dalla University of Minnesota, in collaborazione con lo IUAV.
I motivi dell'interesse sono duplici. Da un lato nell'area infatti si trova attualmente il cantiere nautico di VESTA - base operativa della flotta aziendale - che necessita, in tempi rapidi, di disporre di una struttura più moderna che meglio soddisfi le esigenze aziendali, la cui localizzazione è già stata individuata nell'adiacente isola dove sorgeva l'inceneritore, oggi demolito. D'altro lato tale spostamento consentirebbe di promuovere una riqualificazione dell'area stessa, attraverso un recupero paesaggistico e ambientale percepito di grande rilevanza per tutta l'isola della Giudecca.
La ricerca sperimentale e quindi il rapporto con le università appare essenziale per ottenere idee progettuali e suggestioni che consentano di individuare le soluzioni ottimali di destinazione dell'area: la collaborazione di VESTA con la University of Minnesota vuol essere dunque un contributo per il raggiungimento di questo obiettivo.
Il progetto preliminare del nuovo cantiere VESTA è già stato approvato e quello definitivo è in fase di presentazione.
Il nostro abbandono dell'isola, il cui fronte sud ha già subito delle trasformazioni molto forti sia residenziali che sportive, metterà in gioco delle volumetrie di sviluppo che vanno fin d'ora capite e indirizzate.
Gli studenti del College of Architecture and Landscape Architecture seguiti dalla docenza italiana ed americana hanno elaborato liberamente varie possibilità di recupero ambientale e di progetto urbanistico-residenziale che costituiscono uno stimolo forte per i soggetti competenti nel dare un immediato e concreto sviluppo dell'area.

VESTA is a joint-stock company that manages the public environmental services for the Veneto territory. For several reasons VESTA is interested in the area of the Giudecca island in Venice, which was the topic of the workshop organised last spring by the University of Minnesota and the IUAV. One of these reasons is that Vesta's main shipyard located on the island and housing the company fleet, requires relocation and a more modern structure to satisfy growing company needs. A location for such a site has already been individuated on the adjacent island of the demolished incinerator. The shipyard relocation would promote an upgrading of the area, through a highly valuable, spatial and environmental recovery program.
Research and collaboration with the universities involved has been of essential importance in obtaining project ideas and proposals that will identify the best solutions for the area. The collaboration between VESTA and the University of Minnesota has been a positive contribution in reaching this goal.
The preliminary design plan for the new VESTA shipyard has already been approved, while the definitive plan is currently being presented. Vesta's abandonment of the island, particularly the southern side which has already witnessed a great deal of transformation in respect to residential and sport facilities, makes one consider the quantity of development which has thus far been studied and addressed. Students from the College of Architecture and Landscape Architecture, supervised by university teaching staff from both Italy and the United States, have freely elaborated various possibilities of environmental recovery and city-dwelling planning. Their research is a strong incentive for competent professionals to initiate a concrete and immediate development of the area.

Progetti per la Giudecca

Il sistema insediativo veneziano è sempre dipendente ed in tensione con l'acqua, che ad un tempo benedice e maledice la città da millenni. L'acqua a Venezia divide quanto unisce, lega le isole della laguna attraverso ponti e barche. Attraverso le vie d'acqua l'arcipelago veneziano ha sviluppato un unico sistema di relazioni ed interdipendenza tra le isole, per funzioni e servizi contemporanei. Qualsiasi progetto a Venezia inevitabilmente deve prestare attenzione all'equilibrio di soluzioni che possano separare e connettere, attraverso l'acqua, le attività quotidiane.
Il nuovo sviluppo di Sacca San Biagio Ovest presenta l'opportunità di completare con delle residenze la comunità urbana ad ovest della Giudecca. Sacca San Biagio consiste in tre isole costruite recentemente: Ovest, Centrale ed Est. Quest'ultime due ospitano attività sportive quali una piscina, campi da tennis, ed un centro canottieri gestito dalla Reale Società Canottieri Bucintoro. Sacca San Biagio Ovest ospita le attività di VESTA ed è localizzata tra Sacca Fisola, un'isola recentemente urbanizzata con edilizia sociale, e l'isola dell'inceneritore. L'impegno progettuale del Workshop è di sperimentare residenze: una nuova funzione urbana per trasformare l'insediamento produttivo di Sacca San Biagio in una dimensione più quotidiana della edilizia veneziana, specialmente quella della Giudecca.
Il primo gradino verso le proposte progettuali è una lettura della Giudecca, per trovare "indizi" di tre categorie: edilizia residenziale storica, le realizzazioni recenti, e la morfologia tradizionale degli spazi urbani. Gli studenti del Workshop sono stati organizzati in cinque piccoli gruppi di studio per fare ricerche collettive in Venezia, Burano e Mazzorbo. C'è una chiara gerarchia di spazi definiti dall'uso dei materiali, dai fronti e dalle prospettive di vista nel tessuto storico. Alcuni interessanti progetti di residenze tendono ad enfatizzare l'apertura verso il paesaggio lagunare piuttosto che verso piazze pubbliche. Comunque la Giudecca è stata l'unica parte di Venezia senza ponti che la connettessero col resto della città, e così ha sviluppato la sua caratteristica configurazione urbana. Per esempio sono morbide ed discontinue le condizioni storiche dei margini di orti e giardini, e nello stesso tempo gli spazi pubblici, come piazze e parchi, hanno margini duri definiti da muri ed edifici. Per pensare spazi per il vivere contemporaneo non necessariamente si deve far riferimento alla tipologia dei luoghi. La ricerca deve indirizzarsi verso le modificazioni morfologiche dello spazio per progettare "indizi" sul futuro: del perché e come un luogo debba trasformarsi per accogliere nuove funzioni.
La seconda fase riguarda il progetto del master plan di un complesso residenziale connesso da calli, fondamente, campi, giardini. Il lavoro progettuale dura una settimana ed è svolto individualmente dagli studenti, soprattutto con schizzi che si basano sulle ricerche precedenti. I Piani debbono includere l'intera isola, il ponte di connessione ed eventualmente il previsto parco accanto all'ex inceneritore. Gli standard da seguire rispecchiano l'attuale uso del suolo in Sacca Fisola e sono: il 42% ad uso pubblico, con approssimativamente il 9% di campi, il 33% di spazi verdi. Il restante 58% dell'isola è considerato area residenziale, con gli edifici, gli spazi di pertinenza semi-privati ed i percorsi di servizio relativi.
La proposta finale spazia attraverso ipotesi progettuali e strategie che sappiano produrre consenso sui tre argomenti principali. Il progetto residenziale deve coinvolgere diversi possibili abitanti che includano studenti, singles, disabili e residenti temporanei.
Secondariamente, l'isola ha un grande potenziale per introdurre nuove attività nella laguna come la vela, la voga ed un parco della barena, per intensificare gli sport acquatici e le attività per la laguna sud. Sacca San Biagio ha una deliziosa vista verso sud ed è un prezioso luogo per godere del

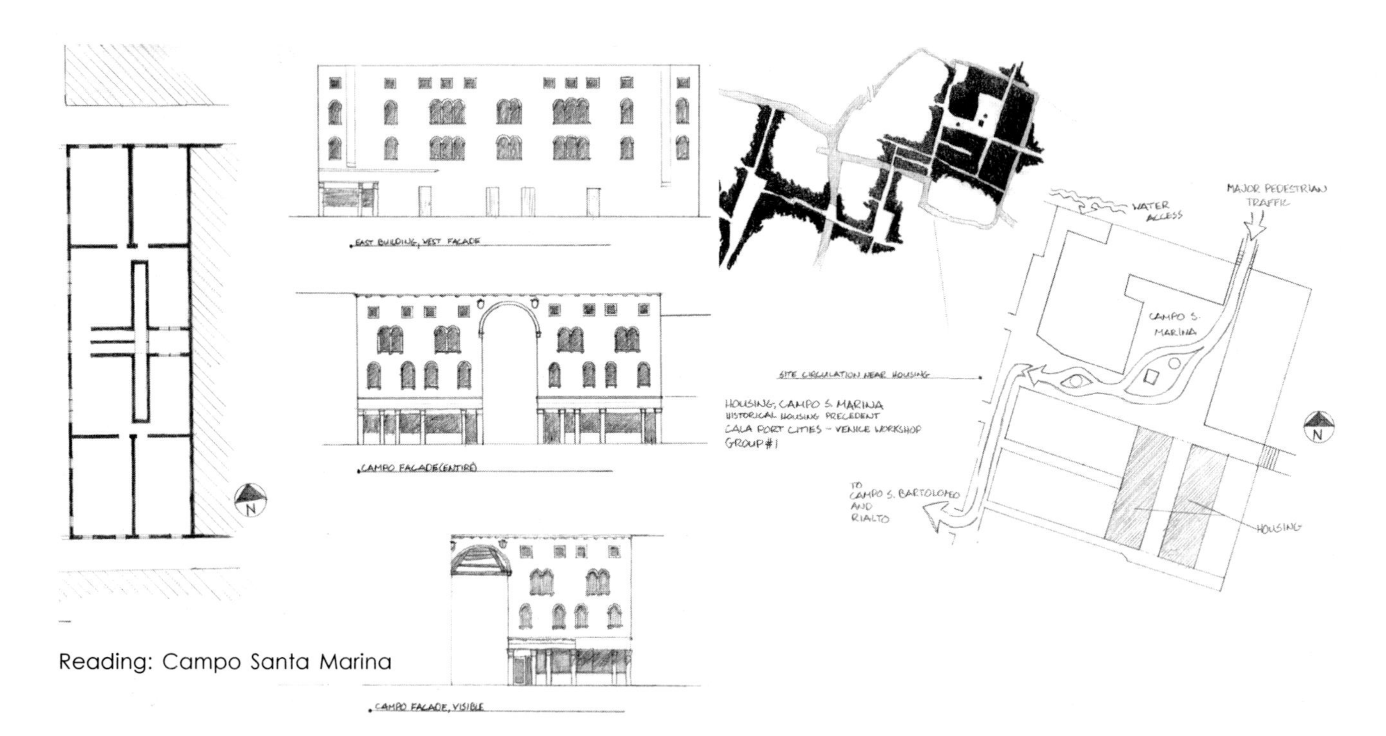

Reading: Campo Santa Marina

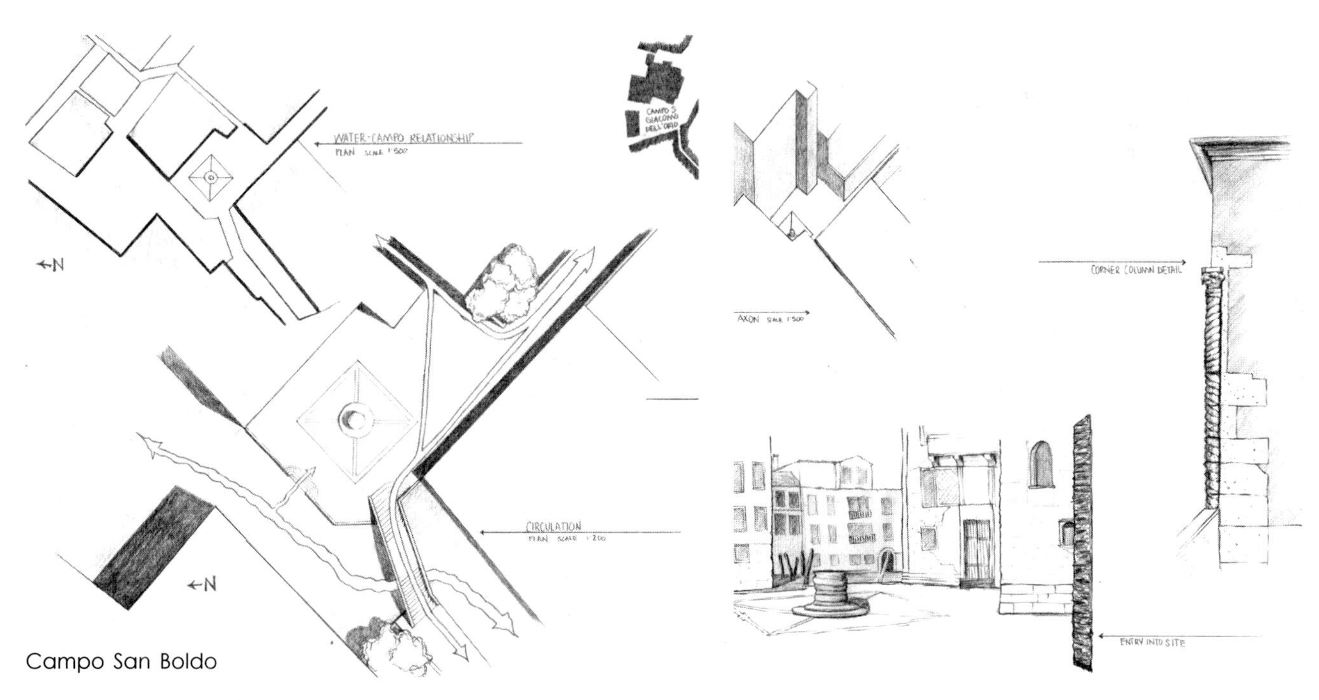

Campo San Boldo

paesaggio lagunare.
La nostra speranza è di costruire una forte comunità, a partire dallo spostamento di VESTA sull'adiacente isola, incentrando la nostra attenzione verso gli spazi tipicamente veneziani sia domestici che pubblici e verso una forte evoluzione del sistema urbano. Sacca San Biagio può anche divenire un luogo di sperimentazione per fondare questa comunità sulla eredita naturalistica e sulla rete di percorsi acquei della laguna sud.
Il CALA Design Workshop promuove la pubblica consapevolezza di progetti sostenibili, attraverso sperimentazioni architettoniche.

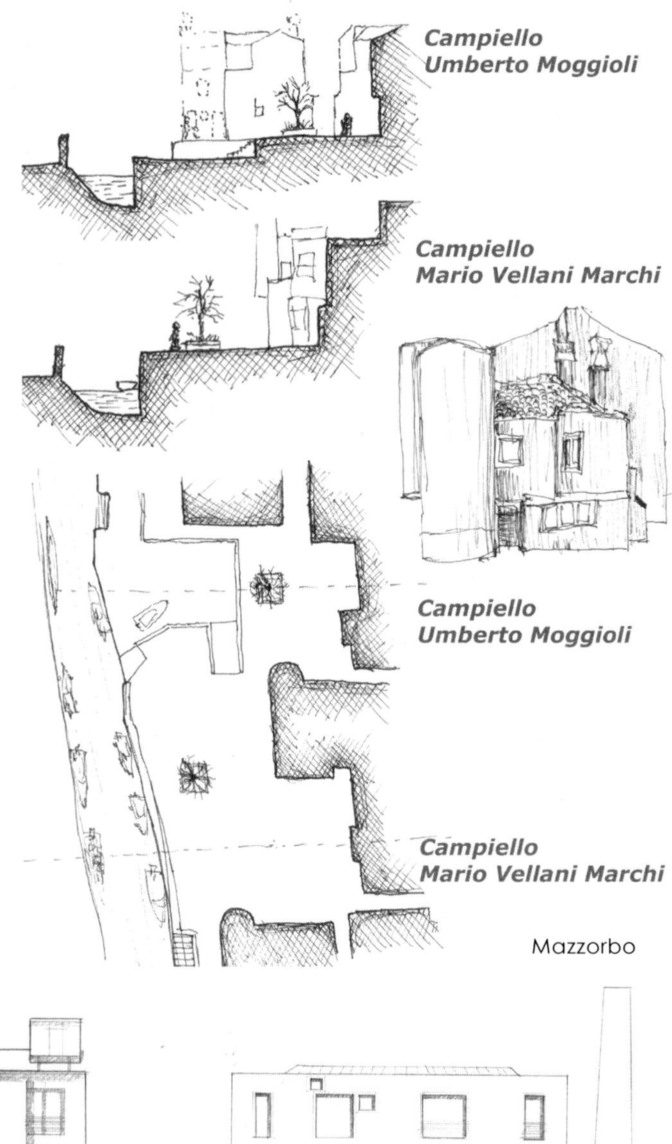

Mazzorbo

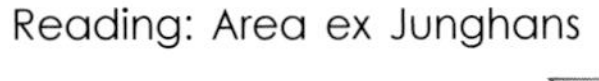

Reading: Area ex Junghans

Projects for the Giudecca

The Venetian settlements are always in tension and dependence with the water that has blessed and cursed the city over the millennia. Water is both a divider and access in Venice. The water laces Venetian islands relying on bridges and boats to make connections between them. Through waterways, the Venetian Lagoon has developed a unique relationship of dependency among islands for quotidian networks, functions and utilities. A development project in Venice inevitably needs to consider the equilibrium of engagements between separating and connecting water in quotidian life.

The new development on Sacca San Biagio West presents an opportunity to bring housing for diverse community west of the Giudecca. Sacca San Biagio consists of three newly constructed islands: Center, East and West. Both Sacca San Biagio Center and East islands have new sports facilities including a swimming pool, tennis courts and a rowing training center managed by the Bucintoro Rowing Club. Sacca San Biagio West, an island of warehouses for the VESTA Corporation, is located south of Sacca Fisola, a recently redeveloped island of social housing, and east of the Incinerator Island. The design task for the workshop is to explore housing as a new urban function to transform the industrial establishment on Sacca San Biagio to the quotidian scale of the Venetian urban fabric, specifically the fabric of Giudecca.

As a first step toward design proposals is to learn about Giudecca and to discover "clues" in three categories: recent and historical housing precedents, as well as traditional Venetian urban space types. The workshop students organize five small study groups for making collective findings in Venice, Burano and Mazzorbo. There is a clear hierarchy of spaces defined by the uses of materials, elevations and accessibility of views in the historical districts. Interestingly, recent housing projects tend to emphasize the Lagoon landscape rather than public squares. Nevertheless, Giudecca has been the only historical district without bridges to connect to the rest of city, which has developed its own characters of urban configuration. For instances, the soft-edge has been the historical conditions of Giudecca shores for being constructed to farm orchards, meanwhile, the public spaces such as squares and parks are hard edges defined by walls of buildings. A direct reference to contemporary living may not be attainable by following the typology of place. The important study needs to address the morphological changes of a place for design "clues" - why and how a place is changed for new function.

The second phase is to design a master plan, locating blocks of new housing, calle, fondamenta, campi, public green space and semi-private green space associated with the housing. This design work is done individually in sketch format, drawing upon the precedent studies completed in a week. Plans are to include the whole island, the connecting bridges and may include a rough scheme for the proposed park on the incinerator island. The land planning standards are the followings: first 42% of the site must be public open space, approximately 9% for a campo or campi, and 33% for public green space. These numbers approximately reflect the current land-use situation of Sacca Fisola. The remaining 58% of the island is considered the "site area" for housing. Site area for housing includes housing footprints, associated semi-private open, and service alleys. Final proposals may vary in design ideas and strategies but reach consensus on three issues. The new housing project needs to promote diverse population to include students, singles, disables and seasonal residents. Secondly, the island has a great potential to introduce new activities in the Lagoon such as sailing, boating and tidal parks to intensify water sports and activities in the south Lagoon. Sacca San Biagio has sweeping views to the south, a precious place to enjoy the Lagoon landscape.

In summary, with the VESTA's plan of removing warehouse facilities, assessing the value of Venice's domestic and public space, and focusing on the transformation of urban fabric, our hope that any housing intervention on the Sacca San Biagio West may build a lively neighborhood. The Sacca San Biagio site can also become an acknowledgement of natural heritage by marking a new community and gateway for networking waterways and passages in the southern part of Venice lagoon.

The CALA Design Workshop commits to promoting the public awareness in sustainable projects through design research.

Francesco Calzolaio

Un'arcipelago di relazioni

La Giudecca, per tutta la crescita della Serenissima Repubblica, ha avuto uno sviluppo lento e marginale essendo l'unico insieme di isole dell'arcipelago effettivamente separata nel tessuto urbano veneziano. Solo la rivoluzione industriale ha invertito questa tendenza, le industrie hanno avuto una rapida diffusione e sono altrettanto rapidamente state dismesse, con il conseguente ritorno alla marginalità urbana che l'aveva contraddistinta. Una tendenza che sembra definitivamente invertita con le opere di riqualificazione ed espansione edilizia di quest'ultimo decennio, in un percorso che ha visto insediarsi, specialmente nel fronte sud, attività residenziali e sportive che stanno portando per la prima volta la Giudecca agli stessi livelli di qualità urbana e di valore fondiario del resto della città. La vita quotidiana diviene più intensa ma non rischia di perdere le sue caratteristiche cittadine (e non turistiche) per una oculata politica residenziale che ha incentivato l'offerta ai veneziani.
In questo quadro si inserisce la ricerca progettuale svolta su Sacca San Biagio Ovest da studenti e professori dell'Università del Minnesota (CALA) che hanno lavorato sei settimane, con il patrocinio ed il supporto dell'Istituto Universitario di Architettura di Venezia (IUAV), dell'Amministrazione Comunale e del Consiglio di Quartiere 2, nonché ovviamente di VESTA che vi è ora insediata.
Le isole attorno Sacca San Biagio sono già in corso di ristrutturazione e le nuove attività che ospiteranno possono contribuire alla costituzione di una forte qualità ed identità urbana di cui quest'area, altrimenti così marginale, ha bisogno. Il complesso sportivo progettato dall'arch. Laura Buonagiunti non solo è stato completato ma anche interamente dato in gestione, essendosi aggiunte quest'anno le attività della Reale Società Canottieri Bucintoro, che, tra l'altro, ospita il nostro corso nel suo padiglione dei magazzini del sale.
Gli spazi esterni dell'isola di Sacca Fisola sono stati riprogettati da Edilvenezia che ha quasi concluso l'iter amministrativo e dunque sono in fase di appalto. Le attività di VESTA che ora risiedono in Sacca San Biagio saranno presto spostate nell'adiacente isola dell'inceneritore. Le rive stesse dell'isola sono in corso di ristrutturazione e consolidamento su progetto dell'arch. Giorgio Lombardi, mentre l'interno non presenta edifici di un valore tale da consigliarne la conservazione dopo l'abbandono di VESTA.
In sostanza è in corso una forte trasformazione urbana su cui si debbono innestare progetti e attività capaci di tenere assieme questi lembi di città altrimenti disgiunti, progetti capaci di valorizzare il bordo sud della città che per la sua apertura sulla laguna certamente ha delle grandi potenzialità inespresse. Una laguna prospiciente, va detto, che non solo è splendida in se, ma che ha anch'essa avviato un processo di valorizzazione con il recupero proprio delle due isole di fronte la Giudecca, San Clemente e Sacca Sessola, con attività ricettive di altissimo livello.
Evidentemente, prima di scegliere le destinazioni e costruire un piano condiviso per l'isola, occorre testare differenti soluzioni e questo si è proposto di fare il nostro corso.
La prima settimana di lavoro è come sempre dedicata ad una lettura critica della morfologia urbana di Venezia, con l'intento di dare degli strumenti di comprensione e di progetto agli allievi, che sappiano così affrontare la 'tabula rasa' dell'isola con un bagaglio tale che gli consenta di introdurre nuove morfologie ma consce della complessa eredità storica. Il programma funzionale dato al corso riguardava un insediamento residenziale e un parco, da interpretare criticamente secondo scelte autonome e motivate da ciascun progetto. Presentiamo qui di seguito una sintetica disamina secondo le principali linee guida che hanno ispirato la progettazione, quali le gerarchie di spazi, le qualità dell'abitare, le nuove connessioni, le relazioni con l'acqua ed i filtri

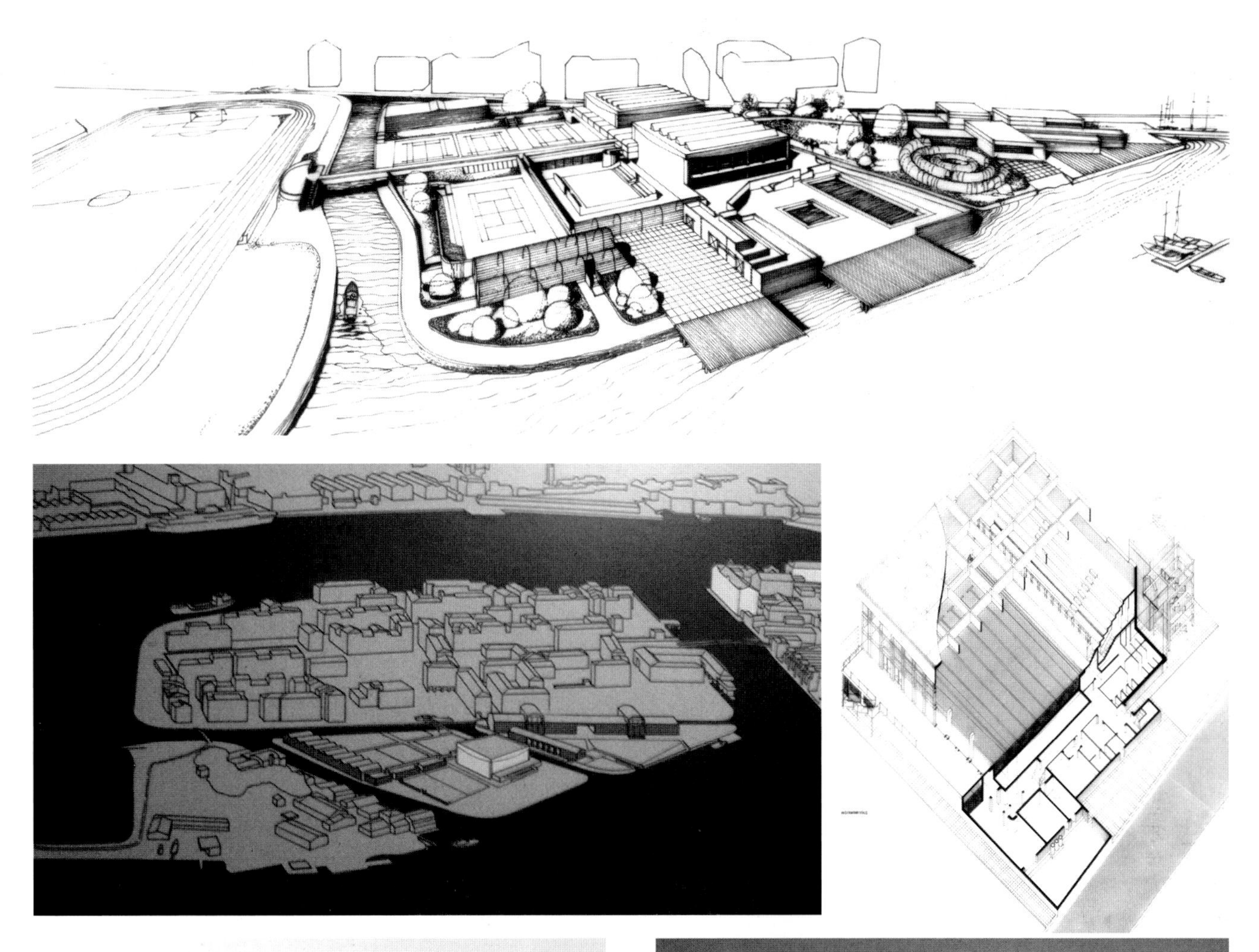

La piscina in Sacca San Biagio, arch. Laura Buonagiunti
The swimming pool in Sacca San Biagio, arch. Laura Buonagiunti

paesaggistici. Si sono seguite fedelmente le parole stesse degli studenti.

Gerarchie di spazi

La definizione del progetto sperimentale prende le mosse dallo studio dei possibili flussi della circolazione nell'isola (Windmiller), per produrre una coerenza spaziale tra gli spazi d'uso pubblico e quelli d'uso privato: va infatti proposta tra loro una chiara gerarchia, attraverso le scelte di materiali, i prospetti e la sequenza visiva (Altstatt). Il flusso di persone che attraversano l'area di progetto incontra una serie di compressioni e distensioni spaziali; i percorsi giungono in spazi aperti sempre più ampli, terminando nell'ampio sistema della laguna (Jergens). Le varie funzioni si collocano in una sequenza logica: le attività commerciali possono essere localizzate lungo la fondamenta sul canale navigabile, assieme a delle aree verdi; gli alloggi per i pensionati o per gli studenti si trovano nelle aree più socialmente animate dell'isola, mentre quelle per i lavoratori si collocano nelle aree più private; comunque pensando ai punti di sovrapposizione tra le varie realtà abitative (Gustavson).

I progetti hanno tentato di generare un contesto piacevole per risiedere nell'isola, riprendendo molti aspetti di Venezia ed integrandosi nel sistema della laguna sud. La tecnica principale è la compressione spaziale attraverso delle strette calli e la successiva dilatazione in ampli campi (Naughton). Alcuni degli edifici residenziali sono progettati con l'intento di creare dei piani di separazione lungo un asse unitario, per trasmettere una sensazione di individualità e privacy (Johnson). Una frammentazione delle viste tipica del contesto veneziano dove l'osservatore incontra inaspettate visuali ed è sorpreso ad ogni luogo. Alcune viste sono ampie ed estese, altre corte e compresse ma in tutti i casi la visuale è controllata (Stark). Una sfida difficile quella con l'incredibile sedimentazione di segni e gerarchie della città storica, ma che ciascuno ha affrontato con modestia ed impegno, pensando spesso a corpi di fabbrica stretti e ad unità abitative che si incentrano attorno ai campi interni o alle vie d'acqua laterali, ma anche seguendo una sequenza di piccoli dislivelli. In tal modo, si intende riprendere il concetto della genesi compositiva di Venezia, considerando il cambio di quota come il simbolo e l'inizio di un cambiamento in atto (Stark). Gli edifici si articolano sempre su una rete di spazi aperti che garantiscono varie interazioni tra le residenze private, le aree pubbliche e i percorsi dell'isola. Le corti, inoltre, sono alle volte connesse ad uno spazio verde che garantisce ai residenti un'area per il tempo libero vicina alla abitazione (Wahlstrom). Le facciate degli edifici debbono esprimere flessibilità e dinamicità e spesso le unità abitative sono dotate di terrazze che garantiscono uno spazio aperto privato (Vohs).

L'isola di Sacca San Biagio può divenire un luogo molto esclusivo per vivere. I piani proposti prevedono in genere cento unità abitative con spazi verdi pubblici e privati. Alcuni progetti includono una darsena ed uno squero, un centro civico, una caffetteria ed un grande campo per attività collettive (Keller). Ci si propone di attirare alla Giudecca dei residenti di classe media ed età differenti (Lindborg). Dunque si tratta di progettare delle unità abitative flessibili (Altstatt), e di prevedere varie tipologie, che variano dal monolocale all'appartamento con quattro camere da letto, per rispondere alle varie esigenze dei residenti (Houten).

I nostri studenti hanno pensato anche a loro stessi e alle volte il programma progettuale prevede degli appartamenti per universitari, nello specifico vi sono degli alloggi per studenti e giovani professionisti, perché così il progetto può introdurre delle nuove e vitali connessioni sociali nella comunità (Vohs). L'isola potrebbe essere connessa all'area est di Sacca San Biagio tramite tre ponti. Molti progetti prevedono un nuovo ponte verso Sacca Fisola ed un altro verso l'isola adiacente, che accoglie vari impianti sportivi ed aree spesso sottoutilizzate. E' inoltre progettata un'ulteriore connessione diretta con l'isola dell'inceneritore, per promuovere l'utilizzo del parco previsto dal piano regolatore comunale (Hansen).

Relazioni con l'acqua

L'isola di Sacca San Biagio è relativamente piccola e consente

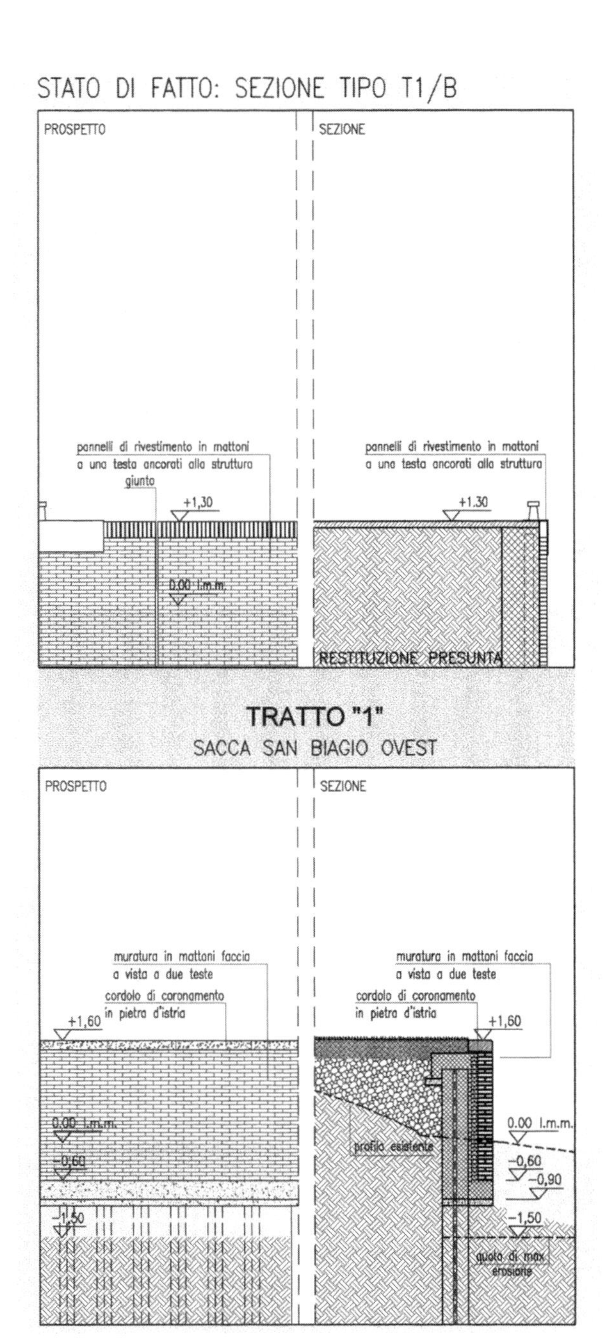

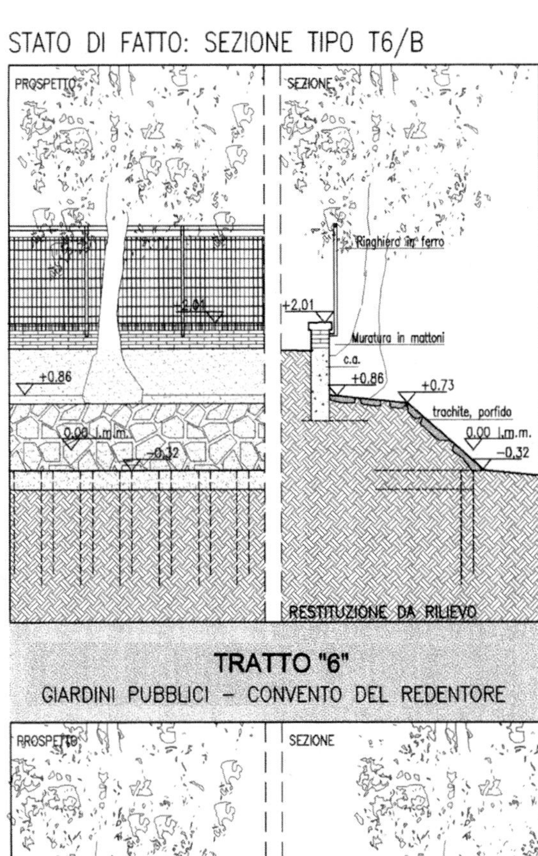

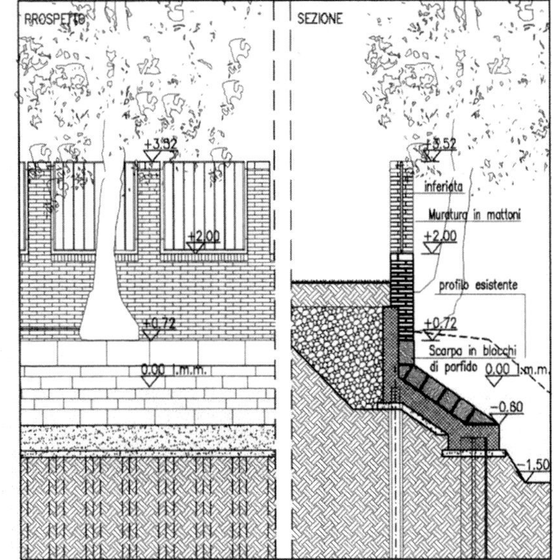

Progetto delle rive della Giudecca, arch. Giorgio Lombardi
Project of the edges of the Giudecca, arch. Giorgio Lombardi

da varie ubicazioni un accesso diretto all'acqua. Molteplici possono essere i punti di vista e di accesso alla laguna e una darsena per diporto potrebbe essere non solo appropriata ma anche un'utile fonte di reddito (Lindborg). Venezia è racchiusa da confini acquei, ma i veneziani sfruttano il sistema delle acque intendendolo un elemento di connessione e non di separazione. Il progetto intende spesso coinvolgere l'osservatore in varie esperienze e attraverso molteplici connessioni visive. Vi è una costante interazione con l'acqua, che avviene attraverso contesti mutevoli: gli edifici, gli spazi verdi ed i percorsi pedonali. Alcuni progetti di residenze a Sacca San Biagio ovest prevedono sia degli edifici bassi che alti, con una diminuzione progressiva della densità edilizia verso il margine meridionale dell'isola. I vari tipi di alloggi sono capaci di adattarsi ai differenti stili di vita dei veneziani. Sulle facciate a sud e ad ovest vi sono degli elementi per l'ombreggiamento. L'orientamento degli edifici definisce le viste sull'acqua e sugli altri punti focali del sito (Smith).
L'elemento chiave di alcuni progetti è l'idea di margine. Anche se la caratteristica principale di Venezia è la sua verticalità, l'isola di Sacca San Biagio è dotata di ampie viste sulla laguna sud. Ponendo gli edifici a contatto con il fronte acqueo e ricavando uno spazio tra i blocchi residenziali, si permette all'acqua di divenire in varie piccole corti un elemento integrante nella vita di tutti i giorni. Lungo il margine tra terra e laguna, alcuni pensano ad un'inclinazione più dolce e ampia, dando un'espressività artistica al fenomeno del salire e scendere della marea; al contempo, sono introdotti lungo il fronte acqueo degli spazi per l'interazione sociale, la pesca, il relax e lo svago (Weis). Altri arrivano ad introdurre un nuovo canale che caratterizza il campo principale al centro dell'isola dove sul margine ovest prevedono attività pubbliche quali una biblioteca. Oppure usano un porticato tra il campo e la laguna per inquadrare l'ingresso acqueo e per ormeggiare e riparare le imbarcazioni (Houten).

Filtri Paesaggistici

Si tratta di mettere in gioco un'esperienza complessa dello spazio, laddove si interagisce empaticamente con tutti i sensi: la vegetazione, il canale e la struttura edificata contribuiscono assieme a dare degli stimoli visivi, ma anche uditivi, tattili ed olfattivi (Altstatt).
I nuovi interventi propongono quasi sempre un filtro paesaggistico con le attività di VESTA, che necessita una protezione dall'inquinamento acustico e dalle viste indesiderate, dovute alla prossimità con gli impianti per la raccolta dei rifiuti. Addirittura in un caso una nuova stretta isola nell'ampio canale permette di creare una barriera visiva ed acustica grazie ad una fila di alte alberature. Quest'isola inoltre divide il canale in due darsene dove le imbarcazioni di VESTA potranno utilizzare il lato ovest, separate visivamente da un nuovo complesso residenziale a Sacca San Biagio Ovest; la darsena sul lato est sarà invece utilizzata dai residenti per ormeggiare le loro imbarcazioni private (Kelly). Alcuni progettano lungo il margine ovest dell'isola un "muro verde" di alte conifere, che agisce come una barriera ai rumori e alla vista degli adiacenti servizi per la raccolta dei rifiuti; e c'è chi prevede una lunga copertura che ripara le imbarcazioni con un percorso pedonale sul tetto (Skybak).
Un altro tema importante è il riutilizzo dell'acqua piovana: il livello di terreno più alto è dunque pensato al centro dell'isola, così che l'acqua venga diretta ai margini esterni. Le aree verdi servono per l'assorbimento delle acque e anche le aree verdi contengono sotto la pavimentazione dei collettori per le acque. Nei giardini sono previste delle piante che possano adattarsi all'abbondanza di piogge come pure a condizioni di media siccità. Vi sono poi varie cisterne poste nelle terrazze e nei giardini privati, che raccolgono le acque meteoriche e le impiegano per l'irrigazione (Skybak).
I ventuno progetti del corso propongono altrettante visioni individuali e assieme definiscono un comune campo di priorità per un piano di sviluppo dell''isola. Intendiamo con ciò offrire una visione provocatoria e possibile ad un tempo, come stimolo alla valorizzazione di una così preziosa parte del territorio veneziano.

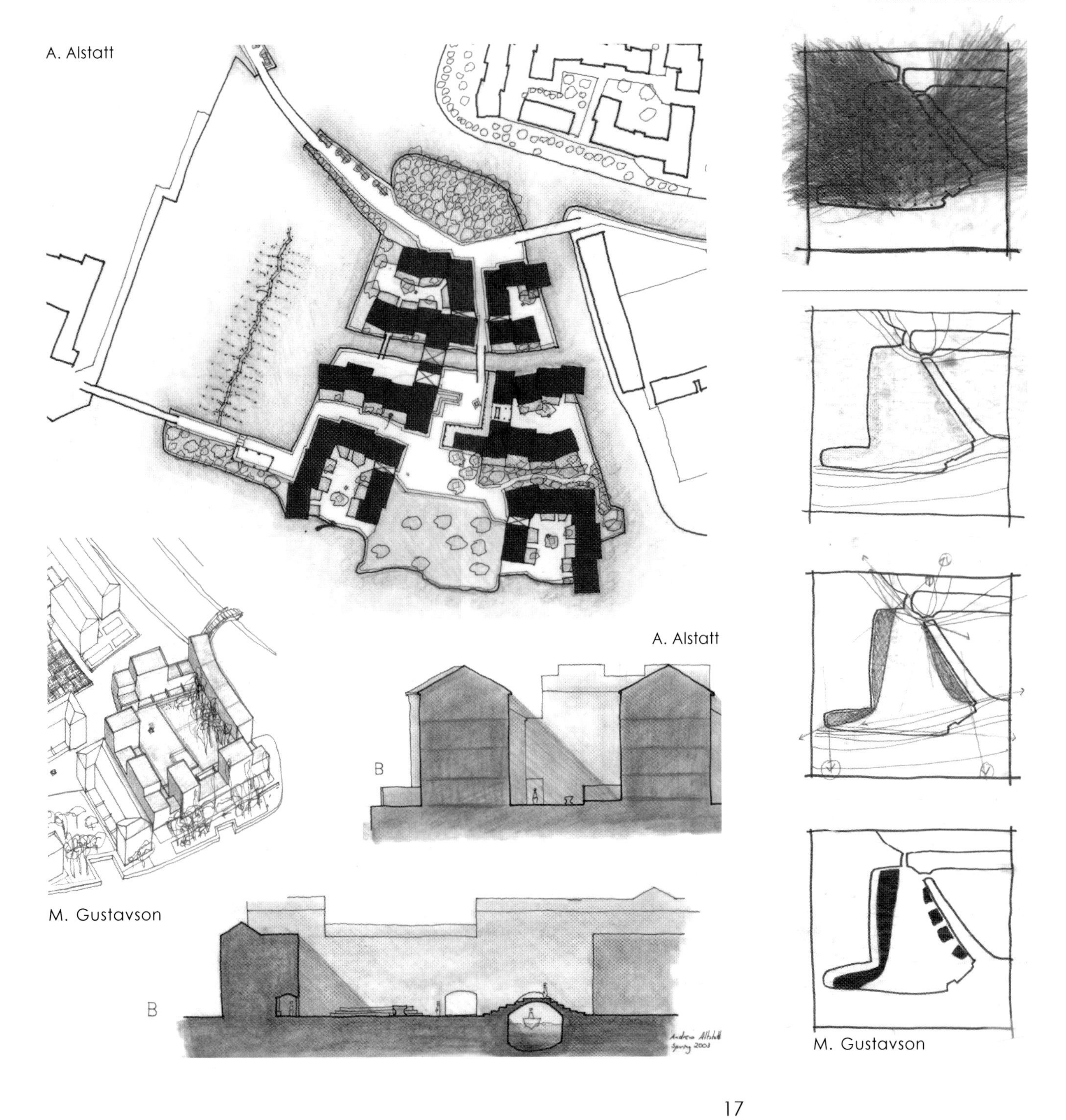

A. Alstatt

A. Alstatt

M. Gustavson

M. Gustavson

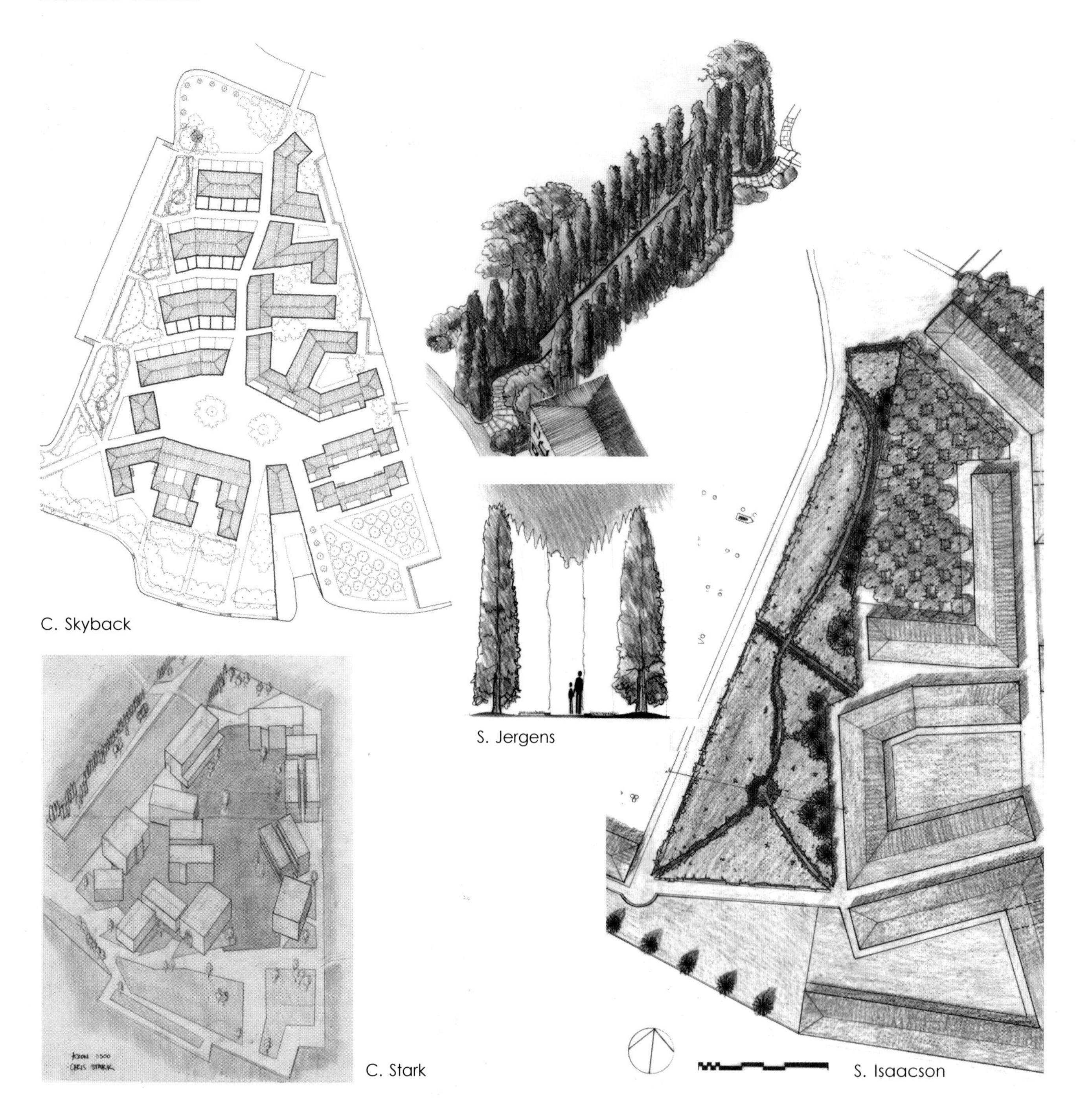

C. Skyback

S. Jergens

C. Stark

S. Isaacson

An archipelago of connections

During the growth of the Serenissima Republic, the island of the Giudecca underwent a slow and marginal development, due to it being the only cluster of islands of the archipelago actually separated from the fabric of the city. Only with the industrial revolution did this tendency reverse itself. Industries grew rapidly and were then quickly put to disuse, returning the Giudecca to a marginal position in the city's make-up. Over the last decade this tendency seems to be reversing thanks to the requalification works and urban expansion programs which allow for the development of residential and sport facilities, particularly on the island's south side. Such activities have helped put the Giudecca, for the first time, on the same level as the rest of the city regarding urban quality and land value. The daily life of the island's inhabitants has intensified, however local (and not tourist) characteristics have remained largely unaffected due to a shrewd residential political plan encouraging the Venetians. Under this framework we would like to introduce the research project for Sacca San Biagio West, conducted by students and professors from the University of Minnesota (CALA). The six-week-long project is supported by the Istituto Universitario di Architettura di Venezia (IUAV), the Municipal Administration, the Neighborhood Council 2, and by VESTA.

The islands around Sacca San Biagio are already under reconstruction. The resulting new activities will strengthen the quality and urban identity of which this area, otherwise considered marginal, is in such dire need. The sport complex designed by Architect Laura Buonagiunti has been completed and is fully running, housing activities of the Reale Società Canottieri Bucintoro (Boat Club) this year. The Bucintoro Boat Club, among other things, hosts our course in the pavilion of the salt warehouses in Venice. The exterior spaces of Sacca Fisola island have been redesigned by Edilvenezia with administrative procedures nearly concluded and the contract phase underway. The VESTA activities, located in Sacca San Biagio, will soon relocate to the adjacent Incinerator island. The canal edge island is currently being renovated and reinforced under a project headed by Architect Giorgio Lombardi. The remaining interior of the island does not contain buildings worthy of conservation once the relocation of VESTA is complete.

In short, there is a strong urban transformation taking place which calls for projects and activities capable of keeping these urban zones together. Such projects should increase the value of the southern edge of the city, which certainly has great, though unexpressed, potential thanks to its position facing the open lagoon. It goes without saying that such a position is splendid in itself, but a further valuable contribution to the area is the recovery of the two islands in front of the Giudecca, San Clemente and Sacca Sessola, where high quality accommodation facilities have been established.

Clearly, before selecting the locations and deciding on a shared plan for the island, it is necessary to research and test different solutions - which is exactly what our course proposes to do. The first week of work is dedicated to a critical reading of the urban morphology of Venice with the goal of supplying students with a comprehensive set of planning tools. These tools should enable students to face the clean slate island "tabula rasa", as well as enable them to introduce new morphologies for the area which, nevertheless, keep in mind its complex historical heritage. The functional program of the course concerns a residential installation and a park, both of which are critically interpreted based on independent and well-founded choices of each project.

Following is a concise examination of the principal guidelines that inspired the master design plan. Such guidelines include the spatial hierarchy, the quality of living, the new connections, the relationship with the water and the landscape envelopes. Accuracy to students' writing has been adhered to.

Spatial Hierarchy

The arrangement of the experimental master plan is driven by how people move throughout the island (Windmiller), with the scope of producing spatial coherency along the scale of public to private spatial use. There exists a clear hierarchy between the public and private uses through materiality, elevation and accessibility of view (Altstatt). Pedestrian circulation through the area is made up of a series of spatial compressions and releases, as pathways lead into larger open spaces, finally terminating in the largest open space in the system, the Lagoon itself (Jergens). The logical placement of specific activities is as follows: commercial activities can be found along the fondamenta and adjacent water-

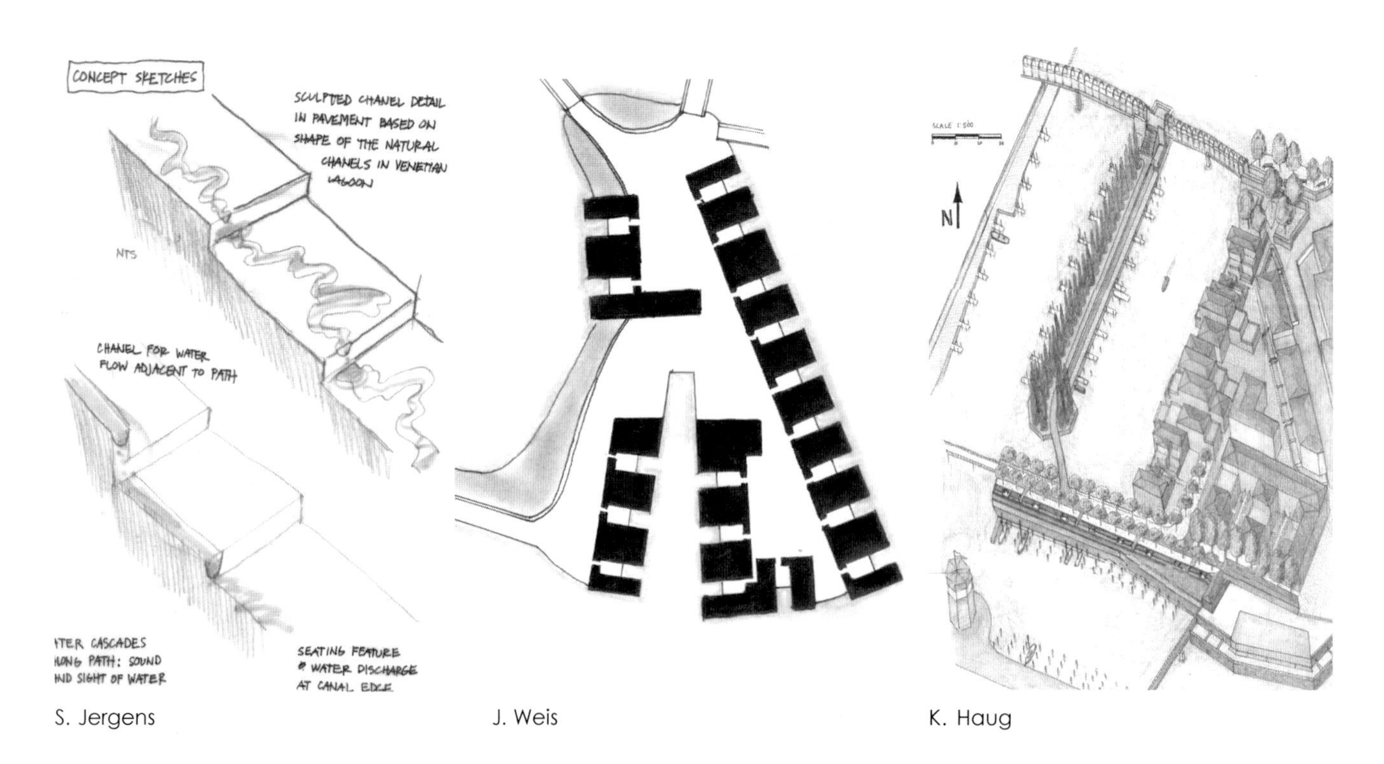

S. Jergens

J. Weis

K. Haug

J. Lindborg

ways (canals), along with garden spaces; student housing and housing for retired persons can be found in the more socially animated areas of the island, while housing for working residents is situated in more private zones. These placements can overlap where necessary and when beneficial (Gustavson).

The form of the master plan has attempted to create a desirable island for living. It uses many of the characteristic aspects of Venice within its design in order to assert the Giudecca's position as an island of Venice. A major technique used is the compression through narrow openings and release into open campi (Naughton). Residential buildings were formed with the intention of breaking planes along unit lines to create a feeling of individuality and privacy (Johnson). A walk through the streets reveals unexpected sights and surprises around every corner. Some views are wide and expansive while others are constricted and short. In each case, however, the view is controlled (Stark).

In planning one faces a difficult challenge due to the enormous presence of signs and hierarchies in the city's historic center, however this challenge is faced with modesty and commitment. The buildings are narrow and the units have a focus on the island's interior campi or bordering waterways. The main campo is slightly elevated above the rest of the island and this small ascent up to the campo is a reference to the composition of Venice. The symbolic quality of a change in elevation symbolizes the beginning of a change in place (Stark).

The buildings take form around a network of open spaces providing multiple relationships between private dwellings and the public spaces and paths on the island. The campi are sometimes joined to a green space, providing residents with access to leisure space close to home (Wahlstrom). Flexibility and movement is apparent in the facades of the residential building, while terraces for every unit provide a private exterior space (Vohs).

The island of Sacca San Biagio West has the potential of becoming a highly sought after place to live. The proposed master plan incorporates approximately one hundred dwelling units with public and private green space. The master plan sometimes includes a marina and squero, a community center and café, and a large campo for centralized activity (Keller). The goal is to attract a middle class population of mixed age to the Giudecca (Lindborg) and to create flexible residential units. Thus, providing ideal housing to a wide variety of family configurations (Altstatt) ranging from studio apartments to four-bedroom flats (Houten). Housing for university students and young professionals, like the students themselves, has been imagined and hence proposes the creation of new and vital social relationships in the community (Vohs). The island could be connected to the area just east of Sacca San Biagio by way of three bridges. The design suggests a new bridge connecting Sacca Fisola and another one connecting the adjacent island housing sport facilities and under-utilized areas. Another bridge would connect to the Incinerator island to promote the use of the park suggested by the town planning scheme (Hansen).

Waterfronts

The city of Venice lies at the center of tension among sky, land, and water, suggesting both advantages and disadvantages (Jergens). The relatively small size of the island Sacca San Biagio allows for easy access to water and to the lagoon from anywhere on the island. The island's marina could be a local amenity as well as a possible source of revenue (Lindborg).

Venice is a city enclosed by boundaries. A duality occurs as Venetians use the boundary of the water as a connector rather than as a divider. Through various types of connections with the water, the design plan engages the viewer in a variety of experiences. There is a constant interaction with the water through different conditions such as the buildings, green spaces and pedestrian paths. Housing for Sacca San Biagio West Island includes low to high-end units, and moves southward from high to low density . The various types of dwelling units are to follow the diversity of Venetian living. Shading devices can be added to the southern and western facades of buildings. The orientation and position of the buildings establish views out to the water and other key places on the site (Smith).

The idea of an edge or margin is a key point in some of the projects. Although much of Venice is predominantly vertical, the island of Sacca San Biagio is endowed with sweeping views of the Lagoon to the south. By placing the buildings directly on the water edge and excavating between each housing block, the water becomes part of the experience of everyday life in each of the small courtyards provided. Along the edge between land and lagoon, a

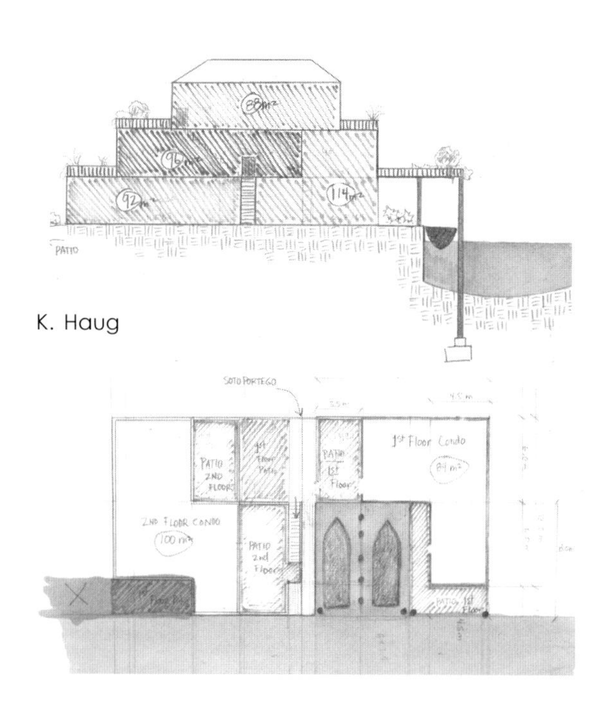

K. Haug

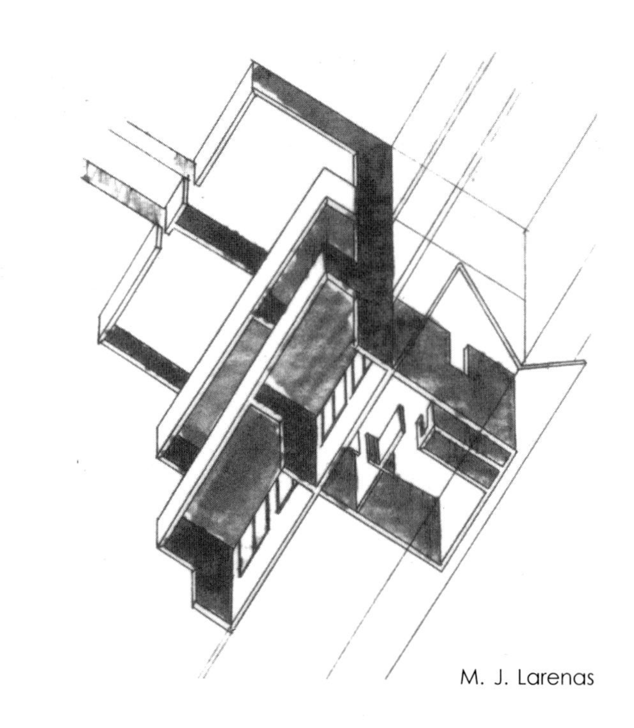

M. J. Larenas

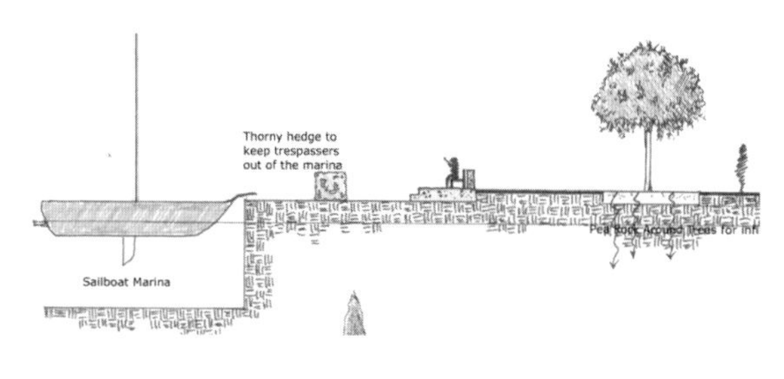

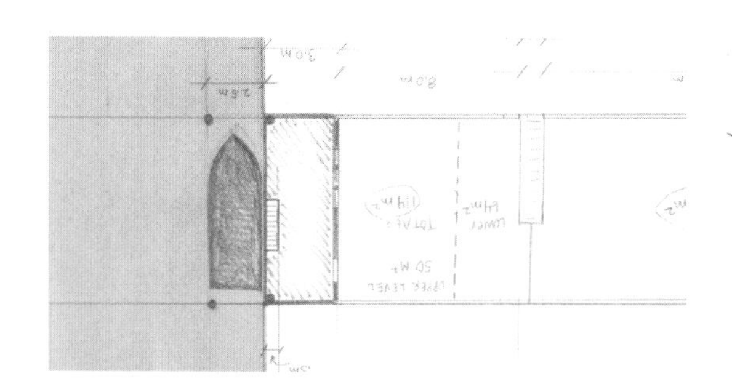

T. Van Houten

much broader, longer slope leading into the lagoon has been considered. Its purpose would be two fold: firstly, it would provide an artistic expression of the tides bi-daily approach and retreat; and secondly, it would provide a space on the water's edge for human activities such as sitting, meeting, fishing and reflecting (Weis).
Another proposal is to introduce a new canal characterizing the main square at the island's center. Space for public structures, like a library, would be planned for the west side of the square. Alternatively, a portico structure between the square and the lagoon would serve as a waterway entrance and a place for mooring and repairing boats (Houten).

Landscape envelopes
A complex spatial experience is involved here, that interacts with our haptic senses and provides for our daily needs. Vegetation, canal and building structures work together to provide stimuli through sight, sound, smell and touch (Altstatt). This new development becomes a buffer zone between VESTA activities and existing development, but as such, it needs protection from noise pollution and undesirable sight lines created by its proximity to the waste management facilities. A new, thin island in the wide canal creates a visual buffer and a somewhat sound-absorbent layer by being planted with tall trees. This island also divides the canal into two marinas. VESTA boats can park on the west side and be visually hidden from the new housing development on Sacca San Biagio West. The marina on the east side allows space for residents to park their private boats (Kelly).
Storm water management is also an important consideration in the design. The elevation is highest at center of island, and water drains toward the edges. The garden spaces are also for infiltration, and four courtyards contain infiltration beds under the paving. The rain-gardens feature floodplain vegetation that can handle flooding in the spring and dry conditions during most of the year. Gray water cisterns on terraces and in the private walled gardens store rainwater for irrigation (Skybak).
The course's twenty projects represent individual visions, which together make up a common set of priorities for the development plan of the island. With this we wish to offer thought-provoking, yet possible, insights of how to enrich and develop this precious part of the Venetian territory.

Fra sacche, squeri e scorzarìe: la Giudecca del primo rinascimento

Nel secondo Quattrocento e agli albori del secolo successivo le fonti documentarie riferibili allo sviluppo urbanistico e territoriale dell'isola della Giudecca da episodiche iniziano ad essere frequenti, in non casuale coincidenza – forse – con una protratta stagione di interramenti e rettificazioni degli ancora indefiniti contorni dell'isola e, più in generale, del più vasto *arcipelago* veneziano.
I margini dell'acquatica capitale erano all'epoca, infatti, costituiti in larga misura da modeste arginature e rive di terra digradanti verso le acque della laguna; da 'sacche' e insenature incuneate nel tessuto urbano, inframmezzate da orti, giardini, cantieri navali e terreni incolti animati dalle più svariate attività quotidiane di un popolo anfibio. Margini solo in parte protetti da precarie strutture lignee di contenimento.
Anche nel corpo della città erano ancora riconoscibili le tracce dei *'laghi'* e delle *piscine* medievali che si estendevano a macchia di leopardo dietro le più antiche quinte edilizie d'impianto romanico, affacciate sul Canal Grande e lungo i principali rii che in esso si immettevano. Proprio in quel torno d'anni, a cavallo fra il tardo Medioevo ed il primo Rinascimento, Venezia conobbe un notevole sviluppo su scàla sia edilizia che urbana: una straordinaria "*renovatio urbis*" che porterà la Dominante ad assumere quella trama compatta e fortemente edificata (già ben riconoscibile nella celebre "veduta a volo d'uccello" di Jacopo de Barbari, litografata nell'anno 1500), rimasta sostanzialmente invariata per tutta l'età repubblicana. La progettazione – e la parziale realizzazione – di *fondamente* perimetrali in pietra e/o laterizio, avviata solo nei primi decenni del XVI secolo, verrà portata gradualmente a compimento prima lungo il versante meridionale della città, affacciato sul canale della Giudecca e, sullo scorcio del secolo, sul versante prospiciente la laguna settentrionale (le attuali *Fondamente nove*, che i progetti iniziali prevedevano dovessero essere ben più estese).
L'aspetto urbanistico-ambientale dell'isola della Giudecca, in qualche modo ricostruibile sulla scorta delle più antiche documentazioni disegnate, era in quell'epoca dato da una serie di *insule* inframmezzate da aree paludose e bassifondali in via di progressiva saturazione. La caratteristica costante e l'elemento unificante era dato dalla sottile quinta edilizia sviluppata senza soluzioni di continuità lungo la lunga *fondamenta* affacciata sull'omonimo canale, che collegava – come oggi – da un capo all'altro l'isola, mentre i vasti scoperti retrostanti erano invece destinati a ortaglie, giardini (o spazi incolti utilizzati per attività produttive), spesso pertinenze di strutture religiose – come i monasteri della Croce, di San Giacomo e di San Giovanni Evangelista o, più tardi, delle Convertite e del Redentore. O di casati gentilizi veneziani, che li avevano destinati ad ameni "luoghi di villeggiatura" e di svago: localizzazione che precedette, insieme a quelle attestate nell'isola di Murano, le più celebrate e sontuose dislocazioni lungo la Brenta o il Sile, peraltro complementari ai nuovi orientamenti del patriziato verso la rendita fondiaria e gli investimenti agricoli.
In altri settori interni all'isola o affacciati sul versante lagunare si concentravano invece alcune specifiche attività manifatturiere allontanate dal corpo della città perché considerate inquinanti: in particolare la concia delle pelli, richiamata dall'attestazione di numerose *scorzarìe* o *scortegarìe* e da illuminanti toponimi quale il "Monte dei corni". Attività queste, in via d'estinzione già nel corso del Settecento, riesumate proprio in questi giorni dall'attuale Amministrazione comunale veneziana che ha approvato le nuove denominazioni delle calli, delle rive e dei campielli nell'area residenziale ricavata dall'ex fabbrica Jungans, tutte riferite a quell'antica tipologia di manifatture (dei Conza Curame, dei Scorzeri, dei Bolzeri).
I particolari di due mappe, l'una datata 1539 (pag. 29 in alto) e l'altra di alcuni anni più tarda (pag. 29 in

basso), esemplificano le peculiarità dell'isola cui s'è fatto cenno, rispettivamente lungo il versante settentrionale e lungo quello meridionale.
Nel particolare qui riprodotto del primo 'documento disegnato' (ASVE, SEA, serie Laguna, dis. 4), redatto dal padovano Paulo da Chastelo, appaiono evidenti tali caratteristiche: una quinta edilizia compatta lungo la *fondamenta* – già realizzata in pietra viva e infram-mezzata, come ancor oggi, da cinque ponti che scavalcano altrettanti rii ad essa perpendicolari – mentre i retrostanti terreni sono in gran parte inedificati, ad eccezione di singoli manufatti difensivi (le torri medievali di San Giovanni, non visibili nel particolare), religiosi (la chiesa della Croce, isolata al centro) o produttivi. Numerose indicazioni di sacche marginali, lungo il versante meridionale dell'isola, con indicazioni della superficie recuperabile e della profondità, sono testimonianza delle operazioni di bonifica in atto – sia su sollecitazione di privati, sia per migliorare il corso delle acque di marea – e chiariscono la genesi del documento.
L'altro disegno (ASVE, SEA, serie Laguna, dis. 144) documenta a destra la presenza di casette munite di *altanelle* lignee protese sulla sacca "*da aterrar*", utilizzate dai conciatori di pelli, a sinistra un piccolo cantiere navale (squero) affacciato sulla laguna, nei pressi del rio che prende il nome dal vicino convento dei santi Cosma e Damiano.
Le indicazioni, in ambedue, di numerosi "*luoghi da atterrar*", ai margini dei terreni più elevati, è ulteriore conferma delle estese bonifiche in atto, che porteranno la Giudecca ad assumere le dimensioni e l'aspetto che non subiranno significative modifiche nei tre secoli successivi, come documentano le piante del Coronelli (1696, riprodotta a pag. 28)e Dell'Ughi (1729, riprodotta a pag. 30). Fino all'avvio cioè – nel secondo Ottocento – di una decisa 'industrializzazione' dell'isola e, nel corso del Novecento, di un'altrettanto in-tensa urbanizzazione che saturerà molti dei preesistenti "terreni vacui", giardini e ortaglie.
Una trasformazione della quale si possono intravvedere le prime avviasaglie confrontando le piante sei-settecentesche con quella del 1841, qui riprodotta a pag. 30, in basso.
Un'industrializzazione, sia nel settore della cantieristica navale, sia in quello della trasformazione (fabbriche di tessuti, molini, meccanica e infine produzioni legate alle forniture militari), che ebbe un interessante precedente e una straordinaria anticipazione nel progetto di riorganizzazione urbana proposto nel 1557 da Cristoforo Sabbadino (pag. 30 in alto), che prevedeva di concen-trare tutti i cantieri navali allontanati dai margini di Venezia in una grande 'polo produttivo' sviluppato lungo l'intero versante lagunare dell'isola.
Questa ben nota "*Pianta de Venetia circondata con fondamente de piere vive*" come recita l'attergato, probabilmente autografo, visualizza le teorie dell'autore per migliorare la circolazione delle acque: "Aricordo de mi Cristoforo Sabbattino inzegner e protho del offitio delle aque, datto lo anno 1557". Le vaste operazioni di mar-ginamento proposte avrebbero garantito al contempo cospicui introiti per l'erario, grazie alla vendita delle "*atterrationi che si farano nelli lochi dessignati*": soltanto per quanto riguarda la Giudecca ("*dove si farano li squeri*") la superficie utile che si sarebbe ricavata ammontava, nei calcoli del Sabbadino, a 103.360 passi quadrati i quali, venduti a ½ ducato il passo, avrebbero consentito il ricavo di oltre 50.000 ducati. In altre aree più pregiate, nel corpo della città-capitale, il prezzo di vendita poteva raggiungere i due ducati al passo quadro (circa 3 mq), per un totale calcolato in oltre 220.000 ducati che, detratte le spese per la realizzazione delle *fondamente* e l'escavo dei canali, avrebbe garantito un utile netto di circa 93.000 ducati alle casse della Repubblica.
Queste operazioni avrebbero inoltre garantito disponibilità per lo scarico dei fanghi ricavati dai periodici escavi dei rii cittadini e dei canali lagunari ("*si logarano burchielle de fango per il meno n° 387.652 de miera 10 l'una, che serà fango per anni 25, fandone burchielle n° 50 al zorno, a zorni 300 lavoranti a l'anno e ponendone 2 per passo quaro*". Operazioni che inoltre avrebbero contribuito alla *pulchritudo Civitatis*, oltre che alla sua salubrità, e così, conclude il Sabbadino, "*più presto si cavarà e mantenirassi canalli atorno atorno e Venetia serà la più bella e più comoda città al mondo*".

Le riproduzioni dei disegni pubblicati a pag. 27 (dall'alto SEA, serie laguna, dis. 4 e dis. 144) e a pag. 28 (SEA, serie Laguna, dis. 14) sono edite su concessione n° 57/2003 dell'Archivio di Stato di Venezia.

rio

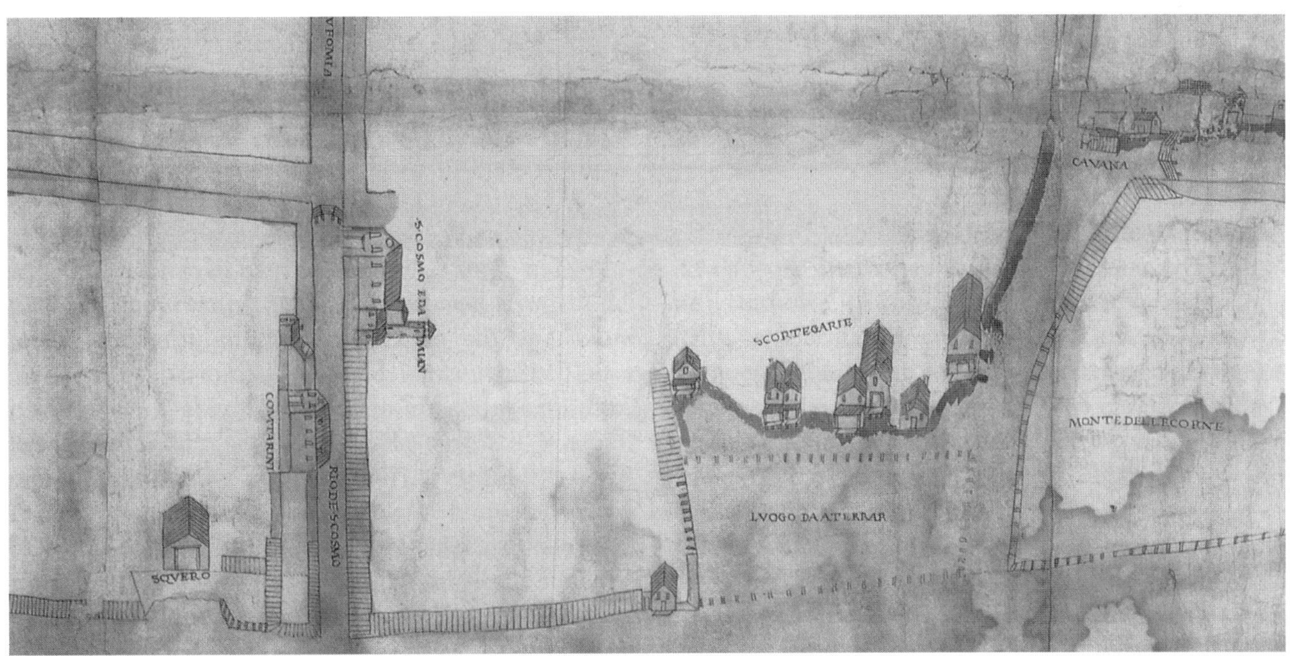
S.COSMO E DA MIAN
CONTARINI
RIO DE S.COSMO
SQVERO
SCORTEGARIE
LVOGO DA ATERRAR
CAVANA
MONTE DELLE CORNE

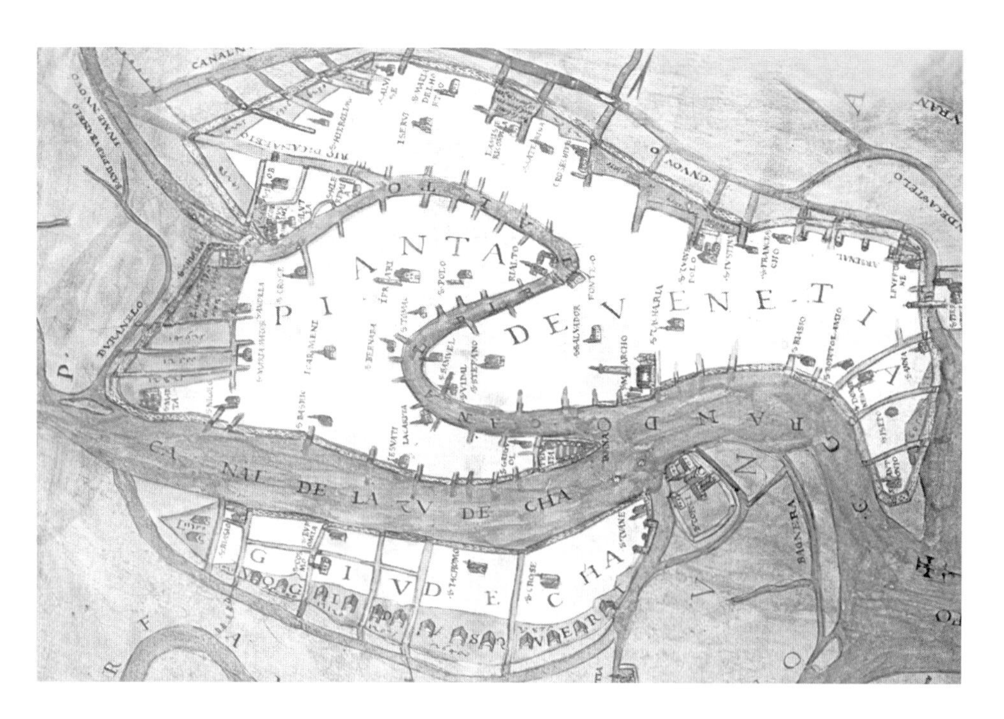
PIANTA DE VENETIA
CANAL DE LA ZVDECHA
GIVDECHA
CANAL GRANDO
RIALTO
S. MARCHO

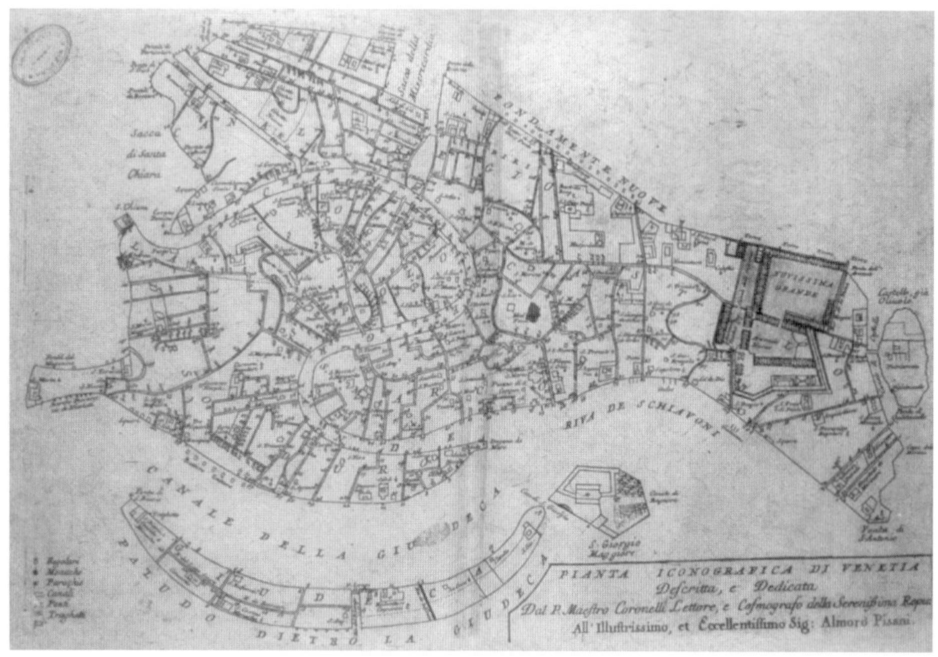
FONDAMENTE NUOVE
RIVA DE SCHIAVONI
CANALE DELLA GIUDECA
PALUDO DIETRO LA GIUDECA
S. Giorgio Maggiore
PIANTA ICONOGRAFICA DI VENETIA
Descritta, e Dedicata
Dal P. Maestro Coronelli Lettore, e Cosmografo della Serenissima Repu
All' Illustrissimo, et Eccellentissimo Sig: Almorò Pisani

Inlets, Boatyards, and Tanneries: Early Renaissance Giudecca

Historical sources from the second half of the fifteenth century and the beginnings of the sixteenth record the opening of a long season of fillings and straightenings of the yet undetermined margins of the Giudecca and, more generally, of the vast Venetian archipelago. The margins of the Sea City were constituted in fact at the time by modest embankments and earthen shores gradually sloping towards the lagoon waters, and by inlets (sacche) wedged in the live fabric of the city, sprinkled by an array of kitchen gardens, gardens, shipyards, and uncultivated fields.
Traces of the medieval laghi and piscine that spread behind an older coulisse of Romanesque houses overlooking the Grand Canal and its main tributary canals are still perceptible even in the city centre. Precisely at that period, straddling the later Middle Ages and the Early Renaissance, Venice experienced a remarkable development in construction and urban dimension: an extraordinary 'renovatio urbis', in fact, that will bring the Dominant City to assume the compact and densely built texture - practically unchanged during the entire Republican era - that is already clearly distinguishable in the famous bird's-eye-view by Jacopo de Barbari lithographed in the year 1500. The planning and partial realization of an outer ring of fondamente in stone and/or brick, begun only in the first decades of the sixteenth century, will be gradually completed starting from the southern flank of the city facing the Canale della Giudecca and continuing, toward the latter part of the century, along the part of town facing the northern lagoon, i.e. the present Fondamente Nove, fondamente that according to the initial plans were actually to be much more extended.
The Giudecca's town-planning and environmental appearance, which can reasonably be reconstructed with the aid of the oldest available drawn documents, was given at that time by a series of insule separated by shoals and marshlands in the process of being filled up. The unvarying and unifying element is represented by a thinly built coulisse which runs without breaks along the unusually long fondamenta overlooking the canal that carries the same name, Canale della Giudecca, and that linked - as it still does - one end of the island to the other. Whereas, at the same time, extensive areas are dedicated to kitchen gardening, gardens, or to uncultivated areas used for productive activities. Such areas were property of religious orders such as the Monastero della Croce (of the Holy Cross), of San Giacomo, of San Giovanni Evangelista or, later, of Le Convertite and of the Redentore, or of Venetian aristocracy that destined them to quiet and pleasant 'holiday resorts' – a setting that anticipated, together with those documented for Murano, the more illustrious and luxurious locations along the rivers Brenta or Sile, locations in fact vital to the aristocracy's new vocation towards land rent and investments in agriculture.
Other areas of the island's interior or facing the southern lagoon see the concentration of a number of specific manufacturing activities that had been removed from the city centre because considered to be polluting; and tanneries in particular were among this number, as witnessed by revealing place-names such as 'monte dei corni' and by common documentary evidence of numerous scorzarìe and scortegarìe. Such activities, already on their path to extinction in the course of the eighteenth century, have been very recently revived by the present-day Venice Town Council, that has approved new names for the calli and campielli in the residential area born out of the former Junghans factory; calle dei scorzeri, calle dei bolzeri, calle dei conza curame, in fact are all names referring to such ancient types of manufacture.
The details of two maps illustrate the specific characteristics of the island. The questions we have briefly addressed seem to combine in a general pattern. The first map (ASVE, SEA, serie Laguna dis.4), dated 1539 and drawn by the Paduan Paulo da Chastelo, portrays the northern side of the Giudecca: a compact coulisse of buildings running along the pre-existing fondamenta built in living rock and broken – just like at the present time - by five bridges spanning over as many canals that hit the fondamenta at a perpendicular angle. The grounds in the backstage, instead, remain still largely unbuilt, except for single elements of various nature: defensive works (the towers of San Giovanni, not visible in the detail), religious buildings (the Church of the Cross, standing

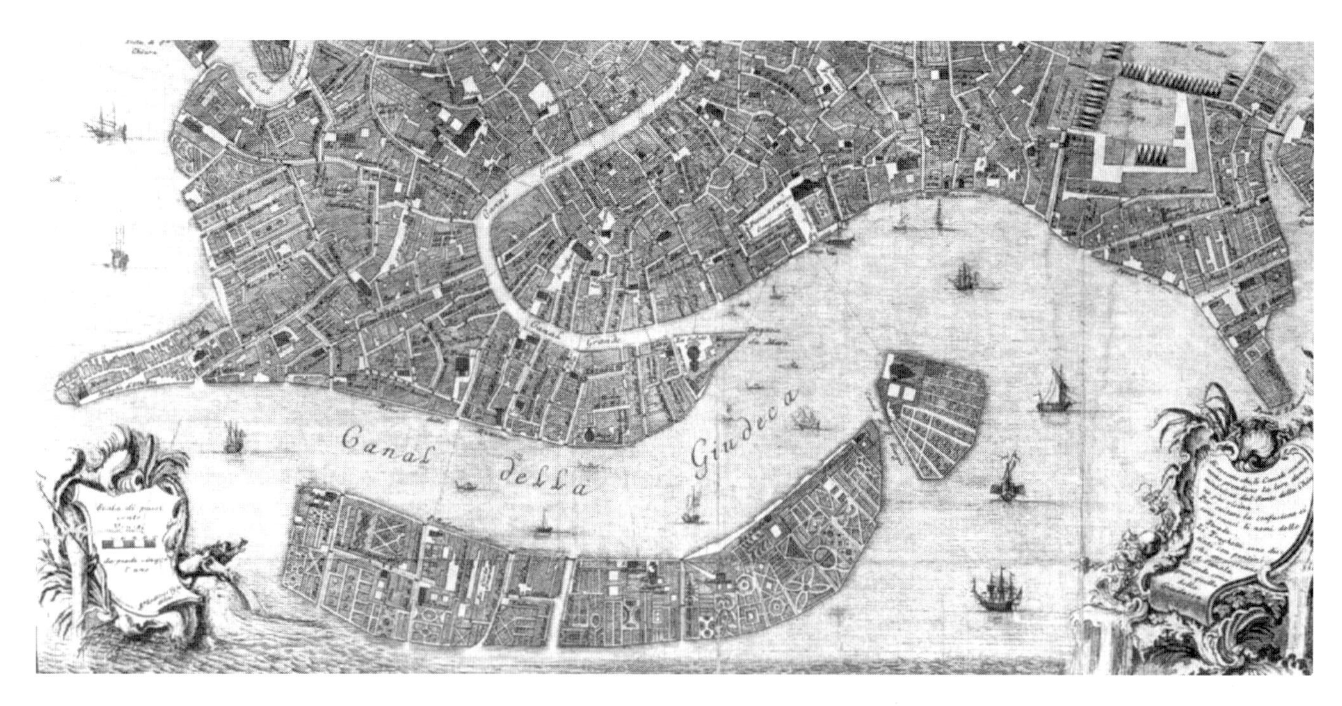
Canal della Giudeca

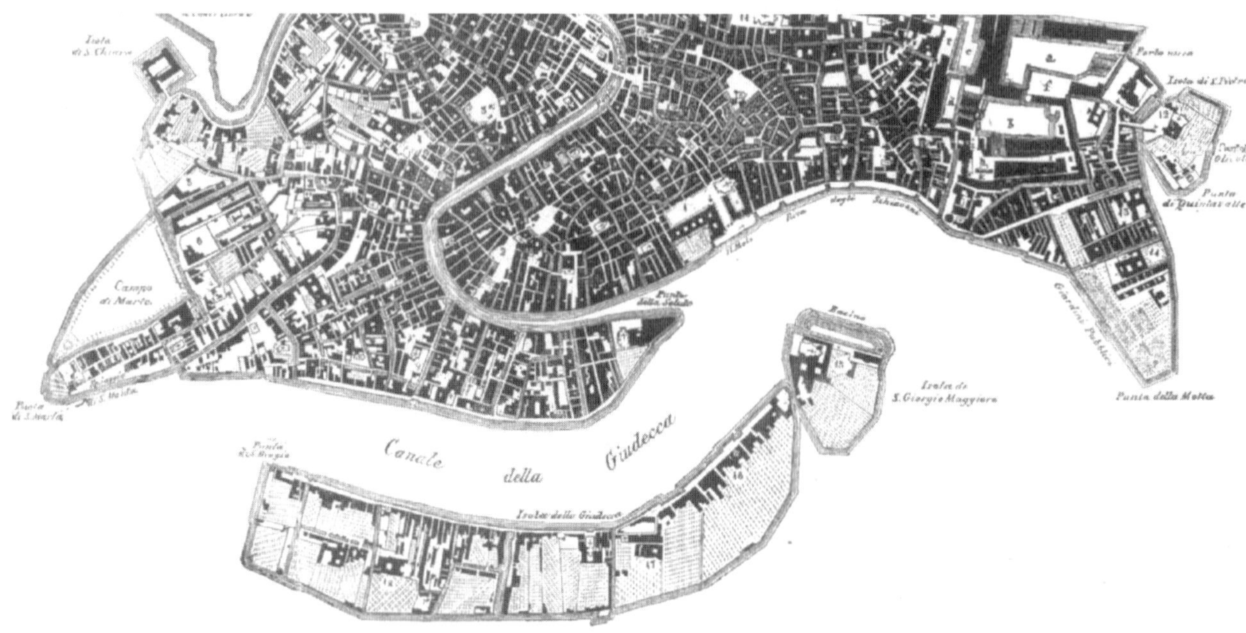
Campo di Marte
Canale della Giudecca
Isola di S. Giorgio Maggiore
Punta della Motta

isolated in the middle section of the fondamenta), and factories. A second map (ASVE, SEA, serie Laguna dis.144), a few years later, concerns itself with the southern side of the island. It furnishes documentary evidence, on its right side, of the presence of small houses furnished with wooden altanelle *(wooden platforms sustained by palisades) jutting out over the inlet to be filled (*da aterrar*) used by tanners; on its left side is portrayed a small boatyard or* 'squero' *facing the lagoon, not far from the canal bearing the same name as the nearby Convento dei Santi Cosma e Damiano. The presence of inlets along the southern rim of the island, with indication of depths and surface area that could be regained, is well documented and testifies to efforts of land reclamation - stemming both from the request of private citizens and from an aim to improve water circulation.*

*The indication, in both maps, of numerous areas to be filled (*luoghi da atterrar*) on the edge of higher grounds, offers yet another confirmation of the extensive process of filling that will endow the Giudecca with a dimension and aspect that won't undergo significant change in the three successive centuries. That is, until in the second half of the nineteenth century a resolute industrialization of the island takes place - followed by an equally intense urban development during the twentieth, that will saturate many of the remaining* 'terreni vacui'*, gardens and kitchen gardens. Such industrialization, in shipbuilding as well as in the processing of materials (textile factories, flour mills, machine production and repair and, last but not least, military equipment), had an interesting precursor in the plan proposed in 1557 by Cristoforo Sabbadino (p. 30) for an urban rearrangement that aimed to concentrate all the shipbuilding activities that had been moved away from Venice's outer borders back to a great 'production hub' spreading along the entire southern side of the Giudecca.*

The well-known 'Pianta de Venetia circondata con fondamente de piere vive' *reproduced on the back side, probably an autographic document, visually illustrates the author's theories concerning optimal water circulation. The massive works proposed by Sabbadino aim at strengthening the lagoon's margins, but at the same time happen to ensure considerable revenues to the Treasury, thanks to the selling of the 'land fillings made in appropriately designated locations' (*atterrationi che si farano nelli lochi dessignati*). The serviceable area amounted, according to Sabbadino's calculations, to 103,360 square (Venetian) feet in the Giudecca alone, 'where the boatyards will be created' (*dove si farano li squeri*). Selling at 1/2 a ducat the foot, the reclaimed land would obtain over 50,000 ducats. In more valuable areas, in the heart itself of the Capital-city, selling price could reach the two ducats per square foot (approximately 3 square metres), for a grand total of over 220,000 ducats that, deducting the expense for the creation of the* fondamente *and for the dredging of the canals, would warrant to the Treasury of the Republic a net gain of about 93,000 ducats. These works would furthermore ensure the disposal of material resulting from the regular dredging of the canals of both city and lagoon (*si logarano burchielle de fango per il meno n° 387.652 de miera 10 l'una, che serà fango per anni 25 fandone burchielle n° 50 al zorno a zorni 300 lavoranti a l'anno e ponendone 2 per passo quaro*). The works would moreover contribute to the* pulchritudo Civitatis *as well as to its healthfulness Therefore, concludes Sabbadino,* più presto si cavarà e mantenirassi canalli atorno e Venetia serà la più bella e più comoda città al mondo.

traduzione in inglese di Tommaso Caniato

Giudecca: una sintesi storica

Denominata anticamente "*Spina Longa*" per la sua forma allungata a spina di pesce, la Giudecca viene ad assumere il nome attuale dopo il IX secolo, quando un bando della Serenissima va a confinare nell'isola alcune famiglie di nobili rivoltosi: "*zudegà*" era infatti l'appellativo che indicava il giudicato, colui che era stato bandito da Venezia. Vi è inoltre una seconda ipotesi sull'origine del nome Giudecca, attualmente meno accreditata, che si rifà al termine giudeo, per la presenza significativa di molte famiglie di origine ebraica.
L'isola è formata da otto isolotti principali ed è divisa da rii e strette calli. A nord, si affaccia sul canale della Giudecca, originariamente chiamato Canale Vigano ed è delimitata da una lunga fondamenta che la percorre da un capo all'altro.
A partire dal XIV e XV secolo lungo questo fronte vengono eretti vari edifici ad opera delle più importanti famiglie veneziane, come Palazzo Vendramin, Palazzo Barbaro, Palazzo Mocenigo, Casa Alvise da Mosto, Palazzo Foscari e Palazzo Visconti, appartenente alla nobile famiglia milanese.
Sul versante meridionale, l'isola si apre verso la laguna sud ed accoglie vari giardini e frutteti, memoria dei vasti orti delle ville dove i patrizi si ritiravano per gli ozi estivi ed autunnali, prima che si diffondesse il costume di permanere nella Riviera del Brenta.
La Giudecca accoglieva artisti, studiosi e religiosi: vi si trovavano infatti ben sette monasteri, ora per lo più soppressi o riconvertiti, come la Chiesa e il Convento di San Giacomo, il Convento delle Benedettine nell'isoletta di San Biagio, il Monastero della Maddalena, trasformato nel 1857 in Casa Femminile di Correzione e Pena, il Convento dei Santi Cosma e Damiano, trasformato in opificio e la Chiesa di San Giovanni Battista. Vi erano inoltre varie scuole letterarie e filosofiche, come l'Accademia Filosofica fondata da Ermolao Barbaro, poi chiamata Accademia Nani, dal nome dei nuovi proprietari del Palazzo.
Tra i complessi religiosi ancora presenti vi è la Chiesa di Santa Eufemia: uno dei più antichi edifici religiosi veneziani, fondato nel IX secolo per devozione ad una dei quattro martiri di Aquileia. Nel XVI secolo, vengono realizzate la Chiesa della Santa Croce (1508-1511) e la Chiesa di Santa Maria della Presentazione, detta delle Zitelle, di ispirazione palladiana e realizzata dal costruttore Jacopo Bozzetto, tra il 1582 e il 1586. Dello stesso secolo e' anche la Chiesa del Redentore (1577-1592), fatta erigere come *ex voto* dopo la cessazione della pestilenza del 1576, progettata da Andrea Palladio e terminata dal proto Antonio da Ponte.
Nella seconda metà del XIX secolo, con il tentativo di assimilare Venezia alle grandi capitali europee, prende avvio la fase di industrializzazione di Venezia: la Giudecca è destinata ad accogliere molti dei nuovi impianti produttivi della città, tra i quali il più noto è il Molino Stucky, affacciato sul Canale della Giudecca, entrato in funzione nel 1883, ampliato nel 1895 e chiuso nel 1954, ora parzialmente distrutto da un grande incendio che lo ha colpito nella primavera del 2003. Tra l'Ottocento e il Novecento si insediano nell'isola vari impianti produttivi, come la fabbrica di orologi Junghans, fondata nel 1878, la Birreria Dreher, la Fonderia Toffano, i cantieri Lucchese e Cnomv, il Maglificio Herion, Fregnan, Scalera, Trevisan e la fabbrica di tappeti Gaggio, la fabbrica di tessuti artistici Fortuny, fondata nel 1919 e ancora in attività, la fabbrica del Ghiaccio e il pastificio Zaggia.
Agli inizi del Novecento si attraversa una fase di complesso equilibrio tra gli impianti produttivi della Giudecca e le infrastrutture urbane: oltre alla Ferrovia (1848), nel 1934 è realizzato il ponte carrabile che collega Venezia alla terraferma e viene sviluppata l'area commerciale marittima di Santa Marta. Negli stessi anni, emergono però anche le mutate esigenze della nuova industria moderna: nell'isola si evidenzia progressivamente la carenza di spazi liberi, l'impossibilità di estendere ulteriormente gli

Un'insula della Giudecca nella pianta prospettica di Jacopo De Barbari, Venezia 1500
An insula of the Giudecca in the perspective map of Jacopo De Barbari, Venice 1500

impianti produttivi, le infrastrutture per il trasporto ed i moli commerciali. In questo contesto, va inserita la nascita del polo industriale di Portomarghera, progettato *ex novo* da Coen Cagli nel 1917, che sviluppa le idee di Pietro Foscari di trasferire la nuova Venezia produttiva in terraferma. Negli anni Trenta, dopo l'apertura del Canale Vittorio Emanuele III come prosecuzione del Canale della Giudecca, nascono a Portmar-ghera i primi impianti di metallurgia e siderurgia, che segnano l'avvio del lento, ma progressivo declino dei nodi produttivi della Giudecca.
Dagli anni Quaranta, molti complessi produttivi della Giudecca sono dunque riconvertiti o trasferiti in terraferma, che dove erano garantite un'elevata disponibilità e trasformabilità del territorio e la possibilità di una continua espansione; in seguito, nel secondo dopoguerra, molte fabbriche vengono chiuse definitivamente, rimanendo per decenni in stato di abbandono. A partire dagli anni Ottanta, vengono realizzati in alcune aree dismesse degli interventi pubblici e privati di edilizia residenziale, come ad esempio gli edifici dei progettisti G. Valle, V. Pastor, I. Cappai, P. Mainardis, e C. Zucchi; nell'ultimo decennio si sono inoltre attivati vari piani di recupero e conservazione dei manufatti storici e di archeologia industriale, compresi nel Piano Comunale del 1995, che ha rilanciato il ruolo urbano della Giudecca.

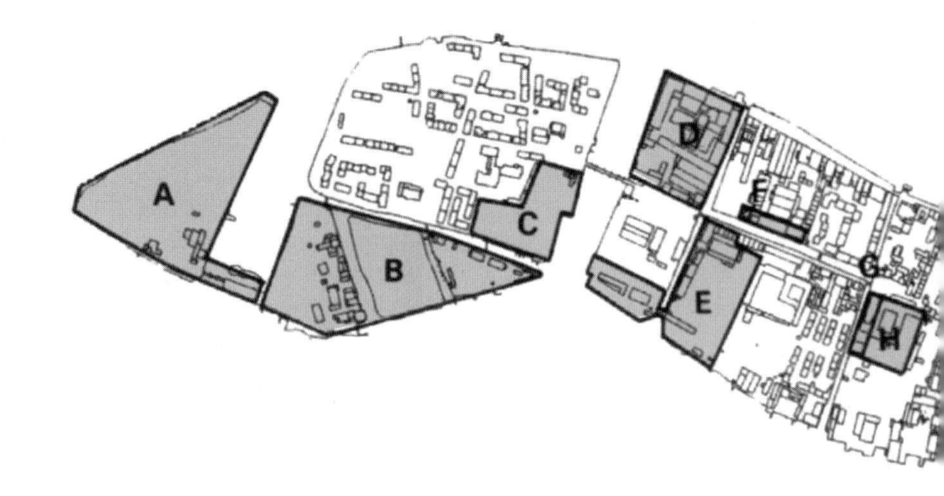

A Isola dell'ex inceneritore / *Former incinerator*
B Le tre isole di Sacca San Biagio / *The Three islands of Sacca San Biagio*
C Ex Fregnan
D Molino Stucky
E Ex Scalera, ex Trevisan
F Ex complesso industriale Cipriani / *Former Cipriani industrial complex*
G Chiesa dei SS. Cosma e Damiano, ex maglificio Herion / The church *of St. Cosma e Damiano, ex knitwear Herion Factory*
H Ex convento dei SS. Cosma e Damiano, ex maglificio Herion /*Former convent of St. Cosma e Damiano, ex knitwear Herion Factory*
I Ex Gaggio, Fabbrica di tappeti /*Former carpet factory Gaggio & C.*
L Ex Junghans, fabbrica di orologi / *Former Junghans, watches factory*
M Ex Cantieri navali / *Ex naval shipyard*
N Edificio del XIX secolo / *XIX*th *centry buildings*
O Ex Fabbrica del Ghiaccio / *Former ice factory*
P Ex Pastificio Zaggia / *Ex Zaggia pasta factory*
Q Campo di Marte
R Ex fonderie Toffano/ Former Tofano Foundry

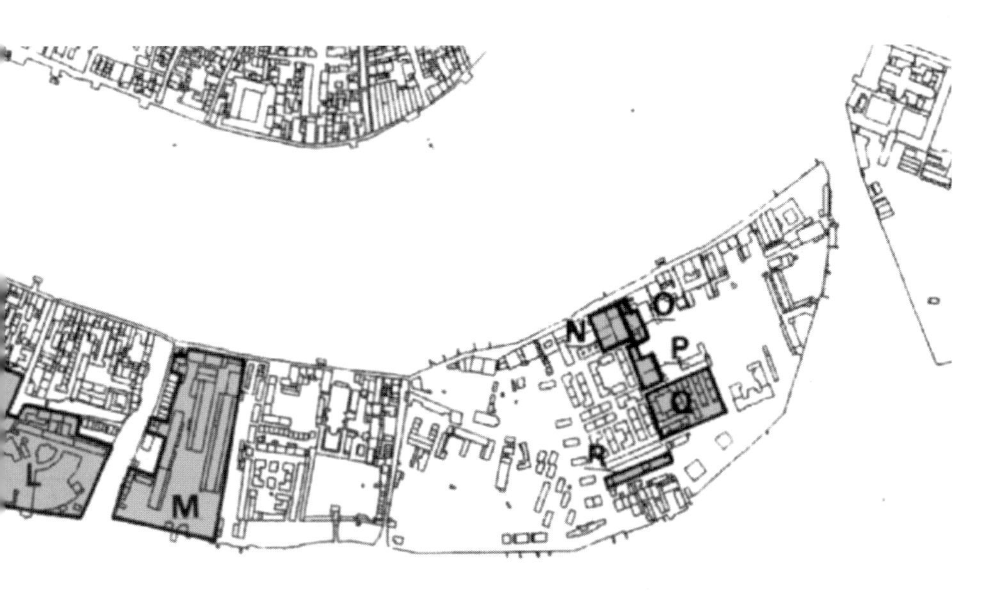

Inquadramento urbanistico della Giudecca, da : L.Benevolo, "*Venezia: Il nuovo piano urbanistico*". Laterza, Roma 1996
L'ex convento dei SS. Cosma e Damiano, ex area Herion
L'ex Fonderia Toffano
pag. 36
L'ex inceneritore
L'ex complesso Gaggio & C.

Masterplan of the Giudecca, from : L.Benevolo, "Venezia: Il nuovo piano urbanistico". *Laterza, Roma 1996*
Former convent of St. Cosma e Damiano, ex Herion Area
Former Toffano foundry
pag. 36
Former incinerator
Former Gaggio & C.
immagini / *images: Piano per la Giudecca, 1995 - Comune di Venezia*

Giudecca: an historical synthesis

Originally called the Spinalunga *("long spine") on account of its fishbone shape, the island of the Giudecca acquired its present-day name from the word* "zudegà", *or* giudicato, *referring to the 10th century judgement passed on dissident nobile families, banishing them from Venice and assigning them certain parts of the Giudecca in which to live. There is a second, less credited hypothesis as to the origin of the island's name, that draws on the term* giudeo *("Jew") and points to the significant presence of a Jewish community in the city. The Giudecca island is composed of eight small, principle islands and is divided up by canals and narrow streets. The Giudecca canal is situated on the north end of the island and was originally called the Canale Vigano. It is skirted by a long fondamenta (walkway) running the full length of the island. In the 14th and 15th centuries various buildings and palaces of the most important Venetian families were built along the Giudecca Canal, including Palazzo Vendramin, Palazzo Barbaro, Palazzo Mocenigo, Casa Alvise da Mosto, Palazzo Foscari and Palazzo Visconti, the latter belonging to the Milanese family of the same name. To the south the island opens to the lagoon where various gardens and fruit orchards can be found, reminding one of the vast vegetable gardens of wealthy patricians who once retreated here for their summer and autumn holidays before the Riviera del Brenta became popular. The Giudecca drew artists, scholars and religious figures to it. There were, in fact, seven monasteries in place, which have now been mostly destroyed*

Il Rio del Ponte Piccolo alla Giudecca con in primo piano le barche, le reti, i grandi canestri e gli strumenti da pesca alla fine del XIX secolo (da: Alvise Zorzi "Venezia Ritrovata 1895-1939". Arnoldo Mondadori Editore, Milano 1995).
Varo di un battello presso il cantiere navale Casagrande. Giudecca, 1933 (da: Reale Fotografia Giacomelli "Venezia Novecento". Skira Editore, Milano 1998).

Rio del Ponte Piccolo in the Giudecca, with the boats, the nets, and the fishing tools at the end of the XIXth century (from: Alvise Zorzi "Venezia Ritrovata 1895-1939"*. Arnoldo Mondadori Editore, Milano 1995).*
Shipping of a boat in the shipyard Casagrande. Giudecca, 1933
(from: Reale Fotografia Giacomelli "Venezia Novecento"*. Skira Editore, Milano 1998).*

or reconverted, including the Church and Convent of San Giacomo, the Convent of the Benedettine on the small island of San Biagio, the Monastery of the Maddalena - transformed in 1857 into the Female Corrections Facillity, the Convent of Santi Cosma and Damiano – now a factory, and the Church of San Giovanni Battista. There were also various schools of philosophy and literature such as the Accademia Filosofica, founded by Ermolao Barbaro, and eventually called Accademia Nani, the name of the new palace owners.

The church of Sant'Eufemia is among one of the remaining religious structures on the island and is also one of the oldest religious buildings in Venice. It was founded in the 9th centruy in dedication to one of the four martyrs of Aquileia. In the 16th century the Church of Santa Croce (1508-1511) was built, as well as the Church of Santa Maria della Presentazione (1582-1586), or better known as "the Zitelle", which was inspired by Andrea Palladio and built by Jacopo Bozzetto. The Church of the Redentore (1577-1592), designed by Andrea Palladio and finished by Antonio da Ponte, was erected in honour of the end of the plague of 1576.

In the second half of the 19th century, Venice's industrialisation phase took place with an attempt at making the city resemble larger capitals of Europe. The Giudecca was grounds for many of the city's new production establishments, including the renown Mulino Stucky mill, situated along the Canale della Giudecca. The Mulino Stucky began production in 1883, was enlarged in 1895, and then closed in 1954. Most recently, in the spring of 2003, it suffered a large fire and was partially destroyed. In the 19th and 20th centuries other important production companies were established on the Giudecca to include: the watch factory Junghans, founded in 1878; the Dreher Brewery; The Toffano Foundry; the Lucchese and Cnomv shipyards; the Herion, Fregnan, Scalera, Trevisan complexes; the cocoa fibre producing plant, Gaggio; the Fortuny factory producing high-quality fabrics, founded in 1919, and still active today; the Ice factory and the Zaggia Pasta factory.

At the beginning of the 20th century a complex phase of equilibrium was undergone among the production establishments of the Giudecca and the urban infrastructures. Besides the construction of the Rail Station (1848), in 1934 a bridge open to traffic and connecting Venice to the mainland was built and the commercial maritime area of Santa Marta was also established. At the same time, other changing needs of modern industry arose, such as, to name just a few, an increased shortage of open spaces and an inability to enlarge existing production establishments, transport infrastructures and commercial wharves. In this context, the industrial zone of Porto Marghera was founded, planned by Coen Cagli in 1917, to follow the idea of Pietro Foscari of transferring Venice's new production sector to the mainland. In the 1930s, after the opening of the North Industrial Canal connected to the Canale Vittorio Emanuele III, the first metallurgical industry plants were opened in Porto Marghera, signifiying the beginning of the slow, yet progressive, decline of the main productive infrastructures of the Giudecca. In the 1940s many production establishments on the Giudecca were transfered or reconverted, eventually closing after WWII, and then left abandoned for the remaining decade.

In the 1980s, construction of residential housing began in some of the public and private areas previously in disuse on the Giudecca. Some examples are the buildings by G. Valle, V. Pastor, I. Cappai, P. Mainardis and C. Zucchi. In the last decade various plans have been set in motion for the restoration and conservation of historic buildings and industrial archeological sites, many of which are comprised in the Municipal Plan of 1995.

Analisi e progetto: pretesti

L'analisi di un luogo nel quale si deve intervenire con un progetto, è già progetto.
Il modo con il quale si guarda un paesaggio, uno spazio urbano, è una forma di immaginazione, un filtro della realtà.
Ordinare questa percezione complessa e sincretica secondo sequenze logiche e – addirittura – secondo una specie di protocollo, di procedura graduale nella acquisizione di informazioni e dati, è sempre parte dello sforzo di prefigurazione progettuale.
Questi approcci al progetto, anche quando non sono pienamente coscienti, avvengono comunque, sotto forma di suggestioni, di "impressioni" (alla lettera: ciò che resta impresso).
Ci è sembrato utile proporre, nel corso di alcuni anni, una sperimentazione didattica che inducesse gli studenti architetti ad accorciare i tempi della analisi – ritenuta ancora nell'immaginario collettivo della didattica IUAV (intesa in senso lato: da entrambe le parti[1]) come una necessaria procedura propiziatoria al progetto.
La sperimentazione si è svolta su un'area di grande interesse paesaggistico e caratterizzata da una morfologia anomala: il distretto industriale di Porto Marghera. Due gli obiettivi postici:
1. Evitare le – a nostro avviso – dispersive digressioni analitiche tradizionali spingendo già gli studenti verso tematiche più legate alla pre-figurazione progettuale;
2. Impedire le fughe formalistiche iniziali che – sempre più – reclamano un impegno critico iniziale su modestissime ipotesi di avvio, spesso mutuate dalla pubblicistica *a la page* e intese come preliminari determinanti e salvifici.
Si tratta cioè di guardare all'area-studio alla ricerca di pre-testi, alla lettera: testi iniziali, già scritti nei luoghi, occasioni per imbastire un proprio ragionamento formale, non basato su imitazioni né su catechesi già date. Piuttosto riscoperta di un proprio latente immaginario che, attraverso lo sguardo falsamente oggettivo – in realtà spesso ispirato e rapsodico – riuscisse a cogliere nell'enorme giacimento di segni disponibile, quelle occasioni di progetto più congeniali alla cultura ed alla sensibilità individuali.
L'operazione percettiva che suggeriamo presenta un nucleo iniziale del tutto arbitrario: indagare liberamente su qualsiasi conformazione, struttura formale, aggregazione morfologica presente nell'area.
A prescindere dalla dimensione.
E questo già sposta completamente l'asse della analisi, forzando la soglia della attenzione verso una lettura anche ravvicinata dei reperti rintracciabili nel sito.
L'aver escluso, nella fase iniziale di approccio, il dato metrico, ha reso confrontabili alcune caratteristiche formali che sono apparse quasi un genoma, una sorta di destino genetico onnipresente: la modularità, la serialità –condizione iniziale e finale dei processi industriali – è apparsa continuamente presente sia nei grandi edifici che contenevano i processi di produzione, sia nella rete infrastrutturale, sia nelle tecnologie adottate nella costruzione, sia anche negli avanzi stratificatisi sul suolo.
Questa realtà è stata frammentata e registrata con letture che, via via, si sono mostrate sempre più attente alla piccola scala, quasi ricercando nell'ingrandimento dei dettagli una conferma oggettiva di quanto percepito sotto forma di impressione iniziale.
Sapevamo già dell'ambiguità implicita in queste sperimentazioni: la scelta casuale di un fenomeno e la descrizione oggettiva, mediante trascrizioni rigorose e consequenti dello stesso. Però ci è parso che questo esercizio – bilogico – inducesse nei ricercatori una sorta di disciplina nel ricondurre la vaghezza iniziale della osservazione verso un *pattern* riconoscibile, governato da un proprio rigore geometrico, strutturato secondo un codice formale ricostruito e reimpiegabile.
Questa ricerca, proprio in quanto svolta su di un campione esteso di "analisti" ha permesso la verifica dell'assunto iniziale: il pretesto isolato, in molti casi, si è rivelato utilizzabile ed ha dato luogo a percorsi progettuali che si sono poi dispiegati all'interno delle logiche della costruzione e della funzione,

conservando lo spunto formale iniziale come un'occasione di avvio, uno stimolo per avviare un processo dialettico successivo.
Un'ultima osservazione andrebbe fatta: la apparente banalità dell'esperienza che andiamo sviluppando, reca in sé alcuni contenuti ancora enigmatici: ci si chiede se la percezione di uno spunto formale, il prelievo sull'area-studio di un "campione" poi isolato, de-costruito e sviluppato come sistema organizzatore di forme, sia un gesto così casuale ed innocente.
La risposta che tendiamo a darci è che ci stiamo spingendo verso una operazione di ri-flessione, un guardare per guardarsi[2]: assecondare una propria inclinazione, una disponibilità a metabolizzare le presenze contestuali per verificare fin dove riesca a spingersi il controllo razionale dei fenomeni formali osservati.
Dicevamo all'inizio degli antecedenti di questa educazione alla analisi della forma: potremmo citare alcuni capisaldi teorici, ma ci piace invece ricordare l'ostinato ridisegno di alcuni pretesti formali in Le Corbusier, o i più sibillini esercizi di Alvar Aalto, o ancora l'inquieta grafia della mitica Bic di Siza e, su questa deriva, si potrebbe riandare alle visioni Goethiane e, via via, ripercorrere il filone delle tantissime osservazioni di *naturalia* fissate attraverso il disegno. Nulla di innovativo in assoluto, ma, in un contesto di laicizzazione ostinata nei processi di produzione artistica, ci sembra di aprire – di fatto – un fronte occluso da tempo, almeno nella didattica istituzionale.

Per ora si tratta più di un'ambizione che di una reale indicazione pedagogica, ma l'entusiasmo che sta accogliendo questi approcci iniziali ci incoraggia ad approfondire le potenzialità di queste tematiche, e ci spinge a cercare delle complicità.

[1] Sarebbe tutta da svolgere questa microstoria della persistenza di un percorso formativo nella scuola veneziana. Da un lato la tenace "resistenza" di più generazioni di docenti cresciuti nella convinta appartenenza ad una *elite* culturale che ha visto dilapidarsi negli esiti convenzionali e convenzionati un patrimonio teorico di altissimo livello; dall'altro una sorta di condizionamento intellettuale riconoscibile nell'inerzia di un processo educativo stabilizzatosi e ancora di eccellente livello, integrato da più apporti disciplinari convergenti. Il tutto tende a produrre una sorta di *enclave* culturale ancora vitale seppure sempre più insidiata dal dilagare delle invasive suggestioni mediatiche mondane.

[2] Gaston Bachelard parlerebbe di *retentissament*: un ricordo più che una "scoperta", qualcosa che vibra nella nostra sensibilità, ma non nella nostra consapevolezza; una eco che affiora attraverso l'indugio dello sguardo che non "vede" bensì riconosce nella realtà una propria, più congeniale, capacità di immaginare.

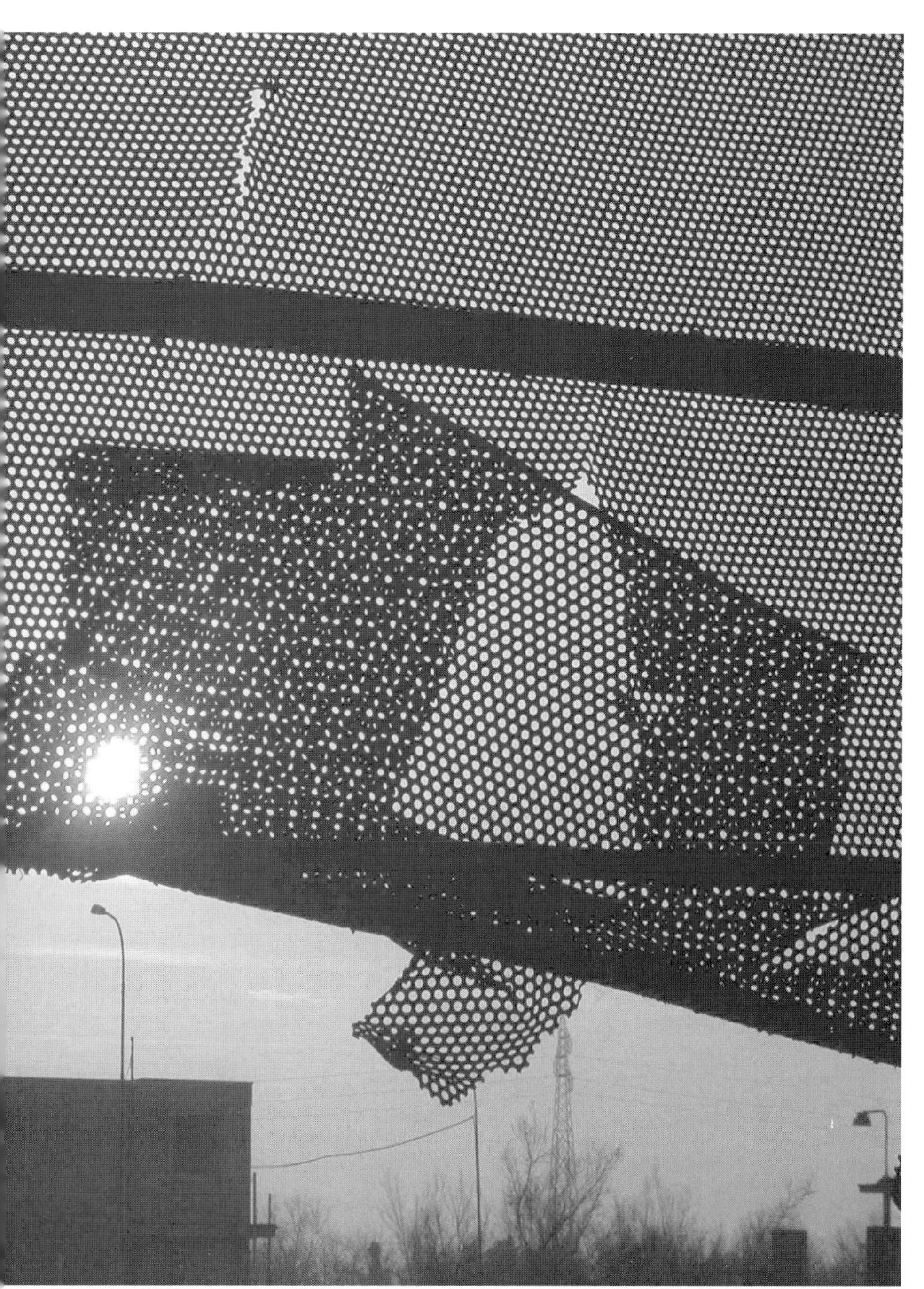

Analysis and design: claims

The analysis of a place where a design is proposed to take place, is already a design per se. The way in which a landscape or an urban space is observed, is a form of imagination or a filter of reality.

Putting in order this complex and syncretic perception according to logical sequence and, even according to a sort of protocol of a gradual acquisition of information and data, is always a part of the effort related to pre-figuration planning. These approaches to the design, even when they are not fully conscious, happen nonetheless, under the form of suggestion or of "impressions" (literally: that which remains impressed).

It seemed useful to us to propose, over the course of some years, a didactic experiment which would induce architect students to shorten the time given to analysis – still believed by the collective imaginary of IUAV didactics (intended in a broad sense: from both parts[1]) as a necessary propitiatory procedure to the project.

The experimentation was done in an area of great scenic interest and characterised by an anomalous morphology: the industrial zone of Porto Marghera. Our aims are two:

1. Avoid, according to us, the disorganised, traditionally analytical digressions which are already pushing students toward themes strongly tied to pre-figuration planning;

2. Prevent the initial formalistic leaks which increasingly demand an initial critical commitment on very modest initial hypothesis, often mutated by the current affairs press and intended as determinant and sheltering preliminaries. It involves looking at a study-area

in search of pre-texts, meaning: initial letters, already written in the places, chances for drafting a formal argument, neither based on imitations nor on instructions already given. Rather by rediscovering one's own real latent imaginary which, through a falsely objective point of view –often inspired and rhapsodic– is able to collect in a deposit of available signs, those occasions of design most congenial to the culture and to individual sensibility.
The perceptive operation which we suggest introduces an initial core that is completely arbitrary: to freely investigate whatever conformation, formal structure, or morphological aggregation is present in the area. Not taking into consideration the dimension, this already completely shifts the axis of the analysis, forcing the threshold of attention toward a closer reading of the traceable findings on site.
Having excluded the metric fact, in the initial phase of approach, has made some formal characteristics comparable which may have appeared almost a genome, a sort of omnipresent genetic destiny: the modularity, the serial character – first and last condition of industrial processes – has always been present in great buildings containing the production processes, as well as in the infrastructural network, the technological means adopted in building them, and in the ground layer of remains.
This reality has been fragmented and registered with lectures which, with time, have demonstrated more attention to the small scale, almost searching in the enlargement of details an objective confirmation of what has been seen under initial impression.
We already knew about the implicit ambiguity of these experiments: the casual choice of a phenomenon and the objective description, with rigorous and consequent transcriptions of this. So it seemed to us that this – biological – exercise could induce in researchers a sort of discipline to restore the initial vagueness of the observation to a recognisable pattern, governed by it's own geometric rigor and structured according to a formal, reconstructed and reusable code.
This research, exactly because it was developed on a wide sample of "analysts", has allowed us to verify the initial thesis: in many cases the isolated opportunity was disclosed as useable and led to design courses which unfurled inside the logic of construction and function. These courses kept the formal cue as a chance to begin, an impulse to start another dialectical process.
One last remark has to be made: the apparent triviality of the experience that we are developing, has some enigmatic content: one could ask oneself if the perception of a formal cue, the taking of a "sample" on the study-area isolated afterwards, deconstructed and developed as an organiser system of form, is such a casual and innocent act. The answer we tend to give is that we are straining towards an operation of reflection, a sort of glance in order to view ourselves; a compliance with one's inclination, an availability to metabolise the contextual realities in order to verify how far the rational control of the formal phenomenon observed can dare reach.
At the beginning we talked about the antecedents of this education to the analysis of form: we can mention some theoretical strongholds, but we'd like to remember the obstinate re-designing of some formal claims in Le Corbusier, or the more enigmatic exercises of Alvar Aalto, or even the restless handwriting of the mythical Bic of Siza. On this drift, we can return to the Goethiane visions and re-pass through the vein of the many observations of naturalia *fixed through the drawing. Nothing absolutely new, but in a persistent secularisation context of artistic production processes, we seem to have opened – de facto – a long time obstructed front, at least in institutional didactic.*
For now it is more a matter of ambition than a real pedagogic indication, but the enthusiasm that these initial approaches are receiving encourage us to deepen the potentials of these subjects, leading us to search for complicity.

[1] This micro-story of the persistence of an instructive course in the Venetian school system is still to be developed. On one hand, the tenacious "resistance" of several generations of teachers who grew up convinced they belonged to an elite *culture and who witnessed a highly valuable theoretical heritage dissipate in conventional outcomes; on the other hand, a sort of intellectual conditioning recognisable in the inertia of a stabilised educational process of a still excellent level, integrated by more than one convergent disciplinary contribution. As a whole this tends to produce a sort of cultural enclave which is still vital even though ever more threatened by the spreading of invasive suggestions of societal media.*
[2] Gaston Bachelard spoke of retentissament *: a memory more than a "discovery", something that vibrates in our sensibility but not in our consciousness; an echo that appears through the delay of a glance, which does not "see", but recognises in the reality a true and more congenial ability to imagine.*

La laguna di Venezia e l'ecologia del paesaggio

Significato e potenzialità dell'ecologia del paesaggio nella gestione del paesaggio della Laguna di Venezia

L'approccio

L'ecologia del paesaggio è una disciplina in rapida crescita. Nata in Europa con chiari legami con la geografia, si è successivamente diffusa negli Stati Uniti su basi più strettamente biologiche, orientata alla analisi degli effetti della eterogeneità spaziale sui processi ecologici.

Le profonde radici ecologiche della disciplina, come i concetti chiave legati ai rapporti tra strutture e flussi (di informazione, materia ed energia), la rendono innovativa nello studio e nella gestione del paesaggio. L'ecologia del paesaggio, poi, considera in maniera organica ed esplicita le influenze antropiche nei processi ecologici del paesaggio, cerca di rendere conto dei problemi di scala, e considera il significato ecologico di memoria: il paesaggio è un sistema complesso che mantiene memoria delle condizioni ecologiche e dei regimi di disturbo che si sono manifestati nella sua evoluzione.

Scala e memoria: esempi

La scala geomorfologica e climatica ci permette di comprendere l'unicità e rarità delle caratteristiche flori-stiche del mosaico di ecotopi lagunari, e delle relative implicazioni gestionali.

· Al termine dell'ultima glaciazione (10.000 AC) durante un minimo del livello marino si verificò lo stabilirsi di specie alpine, che attualmente sono rappresentate da *Teucrium chamaedris* o *Stachis recta*.

· Il riscaldamento successivo e l'innalzamento del livello del mare (massimo circa 5.000 anni AC) permise la immigrazione di specie steno-Mediterranee, oggi rappresentate da *Quercus ilex* o *Asparagus acutifolius*

· Quindi il periodo siccitoso che seguì (max circa 2.500 AC) spiega l'attuale presenza di specie steppiche quali *Tracomitum venetum*, o la *Sacabiosa alba*.

· Infine il complesso di condizioni peculiari e specifiche che durante questo intervallo di tempo si determinarono in questo ambiente di transizione spiegano la selezione di specie endemiche come la *Centaurea Tommasii* e la *Salicornia Veneta*.

Cambiando la risoluzione temporale: l'influenza umana

Ma se riduciamo la risoluzione temporale e consideriamo solo gli ultimi millenni, altri fattori di disturbo diventano dominanti nella comprensione delle proprietà ecologiche del paesaggio attuale.

· Età pre-Romana e Romana

La costa Nord Adriatica è stata abitata da epoca preistorica, ma furono i Romani che, dopo la progressiva deforestazione iniziata nel neolitico, intensificarono la trasformazione del paesaggio mediante il sistema di bonifica / coltivazione delle *centuriae* e gli insediamenti costieri (Ravenna, Spina, Altino, Aquileia). Queste trasformazioni determinarono un aumento della erosione dei suoli e della rapidità del processo di interramento lagunare.

· Intorno al primo millenio

In questo periodo il contributo umano alla trasformazione del paesaggio lagunare diventa sempre più evidente: per garantire la navigabilità del porto lagunare la società locale, in rapida evoluzione dal VI secolo, inizia a rallentare il processo "naturale" di interramento mediante la costruzione di argini di fronte alle foci dei fiumi. L'efficacia degli interventi correttivi aumenta nei secoli grazie alla costituzione di un organo specifico dal XVI secolo (i Savii delle acque).

· L'Età moderna

Le trasformazioni lagunari generate dai bisogni umani diventano sempre più profonde. Tutti i principali fiumi lagunari vengono deviati in Adriatico e i porti e i lidi vengono sempre più rinforzati, per garantire la sopravvivenza e gli interessi economici della società (ad esempio un traffico marittimo a pescaggio sempre maggiore). Questo però porta alla diminuzione dell'apporto dei sedimenti e ad un influenza marina crescente (ad e. modificazione della idraulica lagu-

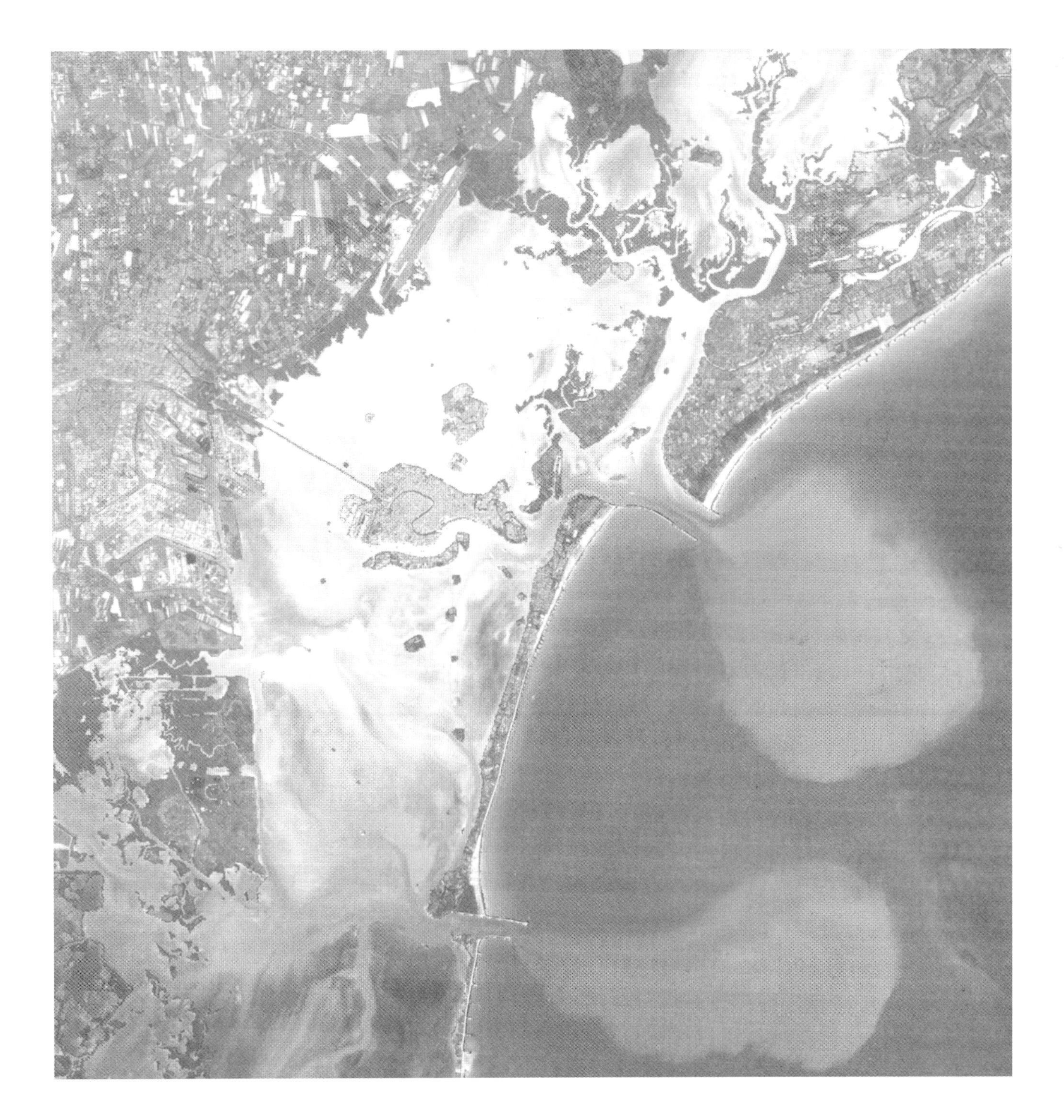

nare e aumento della salinità).

Cronologia dei principali interventi per controllare la morfologia della laguna

1324 Argine di San Marco
1534 Taglio del Re e di Cava Zucchina
1540 termina deviazione Bacchiglione e Brenta
1599 Taglio di Porto Viro
1600 Tagli Garzoni e S.Ilario
1610 Taglio Nuovissimo
1639 Diversione Piave
1683 Diversione Sile
1725 Canale S.Spirito
1727 trasformazione Porto Lido e Malamocco
1787 Murazzi
1791 Conterminazione lagunare

Un esempio di applicazione

L'esempio si riferisce alla applicazione di questo approccio nella definizione della caratteristiche ecologiche di una delle 36 isole minori della Laguna (Certosa) per lo sviluppo di un processo pianificatorio multidisciplinare.
L'approccio si è basato (i) sull'analisi della struttura spaziale del mosaico di ecotopi in un'ampia scala temporale (in base ai documenti esistenti), (ii) sulla stima di alcuni valori eco-paesaggistici a diverse scale spaziali. Per far questo la classe di copertura degli ecotopi è stata classificata in base a misure attuali o stimate su base documentale.

Valutazione

Il modello utilizzato utilizza alcuni indici (non ridondanti e robusti) connessi gli uni agli altri da relazioni gerarchiche tali da generare giudizi sintetici a scala di singolo ecotopo o di mosaico. La logica moltiplicativa delle relazioni garantisce una potenziale influenza di tutti gli indicatori nella definizione del giudizio finale. La struttura del modello permette una agevole ricostruzione del giudizio finale (chiarezza e trasparenza del giudizio).
A scala di ecotopo i parametri finali utilizzati sono il valore florofaunistico (stima della capacità dell'ecotopo di garantire la biodiversità) il valore culturale (stima della percezione sociale dell'ecotopo dal punto di vista estetico e storico), il valore ecologico (stima della probabilità che le relazioni biotiche ed abiotiche del sistema si riproducano).
I parametri utilizzati a scala di isola sintetizzano il grado di trasformzione della organizzazione spaziale e della eterogeneità, e stimano i valori ecologico, culturale e floro/faunistico a scala di isola (media geometrica ponderata dei valori dei singoli ecotopi).

Conclusioni

L'eredità ecologico culturale del paesaggio lagunare di Venezia deriva da un coevoluzione di processi umani e non a diverse scale, e i processi umani (in termini di flussi informativi, di energie a materia) che contribuiscono a trasformare la struttura del paesaggio possono essere considerati come processi ecologici dal punto di vista dell'ecologia del paesaggio.
È necessario considerare queste dinamiche per sviluppare valutazioni nei processi decisionali di pianificazione o gestione ambientale, come indicato nell'esempio riportato che mostra come:
1. La pianificazione ecologica risente del peso culturale del paesaggio considerato;
2. L'organizzazione spaziale dell'isola (rurale) è rimasta costante per circa 7 secoli, ed è quindi cambiata rapidamente (minima diversità durante il periodo militare-industriale, massima diversità dopo l' abbandono);
3. Il "valori" naturalistici (floro faunstici) ed ecologici (riproducibilità, rarità) a scala di ecotopo o di isola sono generalmente bassi;
4. Il massimo valore ecologico oggi risiede nello studio della evoluzione (sconosciuta) di alcuni ecotopi;
5. Il valore culturale è generalmente basso a scala di ecotopo o di isola, ma elevato nelle aspettative legate alla pianificazione.

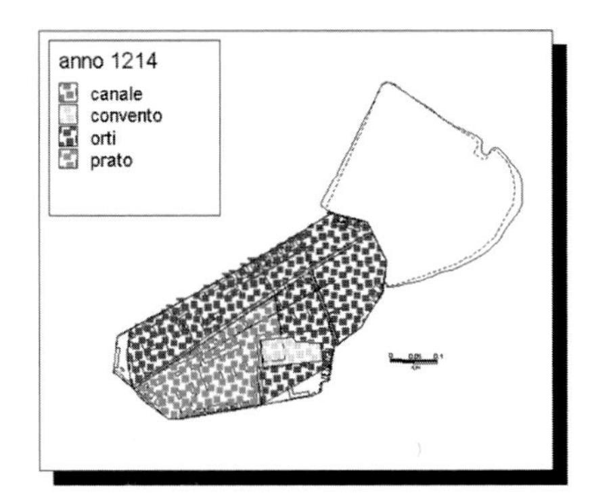

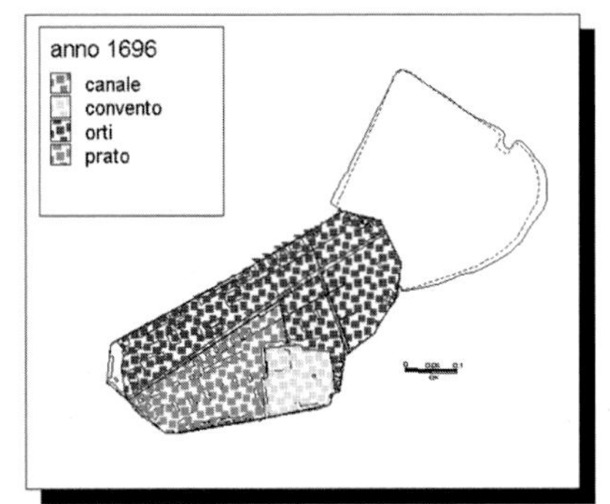

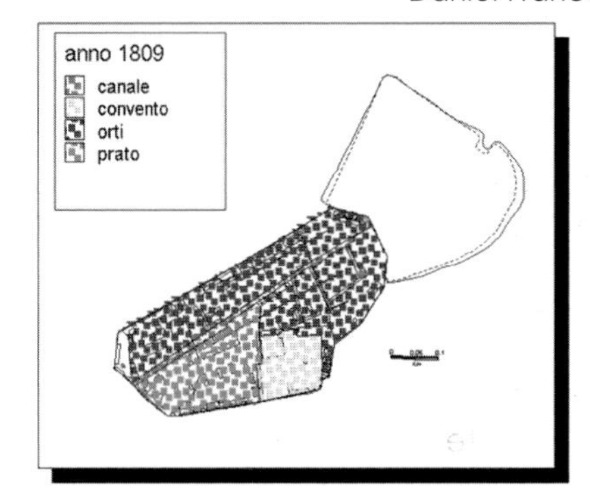

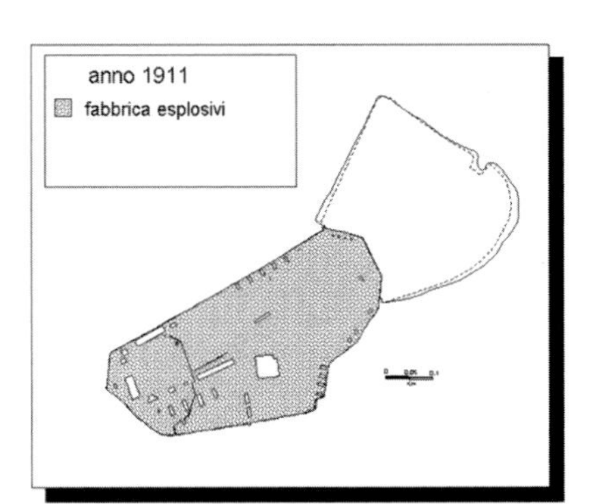

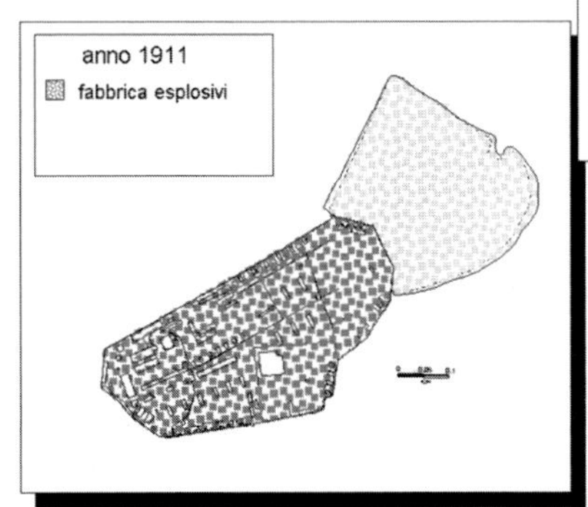

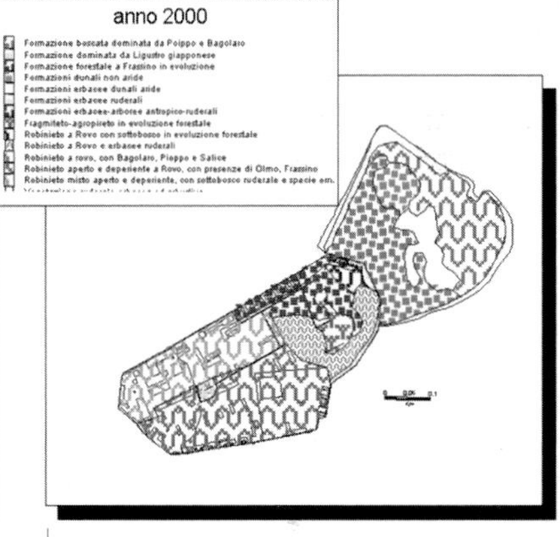

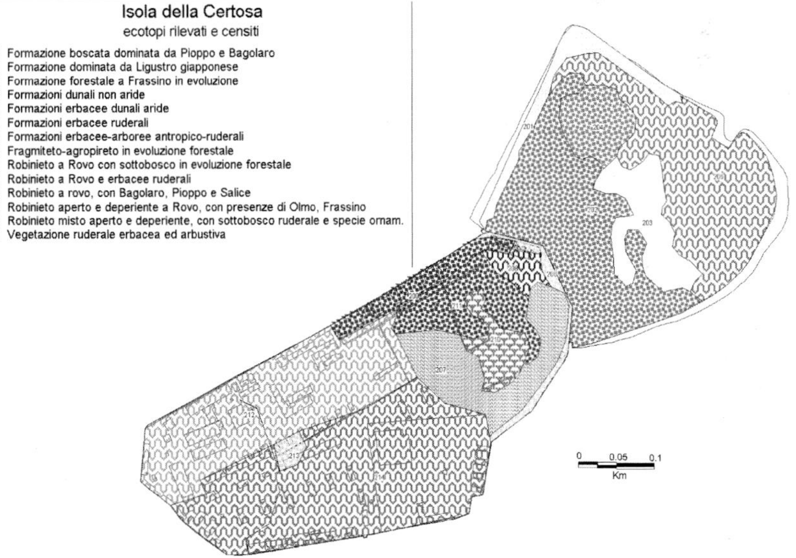

Evoluzione del mosaico degli ecotopi nell'isola della Certosa a partire dal XIII secolo.
Classificazione fitosociologica del mosaico degli ecotopi nell'isola della Certosa

Evolution of the ecotope mosaic in the Certosa island starting from the XIIIth *century.*
Phytosociological classification of the ecotope mosaic in the Certosa island

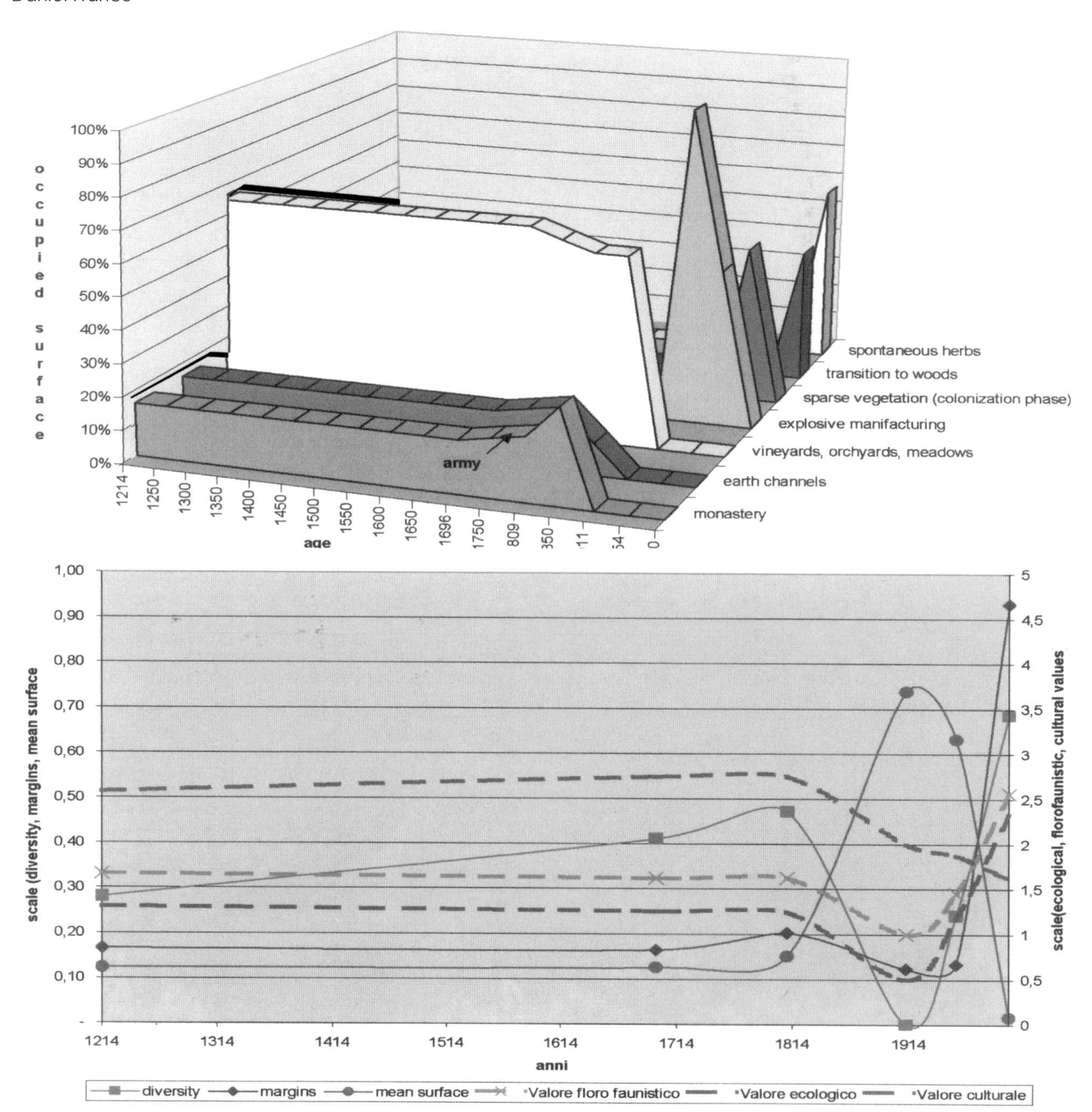

Evoluzione dei parametri di stima degli ecotopi e del paesaggio nell'isola della Certosa
Evolution at the ecotope scale and at the landscape scale of the models estimation parameters in the Certosa Island

Landscape Ecology and the Venice Lagoon

Meaning and potentiality of the landscape ecology approach in the Venice Lagoon Landscape management

The approach utility

Landscape ecology is a fast developing discipline. It was born in Europe, linked to geography and to the solution of landscape management problems. Instead the later development in the United States (but then in Europe too) sprouted from a more biological basis and has been more oriented to the spatial heterogeneity effects on the ecological processes.

The deep ecological roots, as the key concepts linked to the functional relationships of structures and fluxes (of information, energy and matter) in the landscape system, let the discipline be innovative in landscape study and management.

Landscape ecology considers in an explicit way the human influence in the (landscape) ecological processes and tries to account for the time and space scaling problems. It accounts for the ecological meaning of "memory": the landscape is a complex system that retains a recall of the ecological conditions and of the disturbing regimes (at several scale) that have been present during its evolution.

Scaling and memory: two examples

The geo-morphology - climatic scale help us to understand the uniqueness (and rareness) of the floristic characteristics of the ecotopes mosaic, and its management implication.

·At the end of the last ice age (10.000 years BC) the sea level was low, allowing the vegetation of alpine species. Today's heritage of this period is represented by Teucrium chamaedris *or* Stachis recta.

·The next warming and high sea level period (with a maximum around 5.000 years BC) allowed the migration of the steno-Mediterranean species, for example the surviving Quercus ilex *and* Asparagus acutifolius

·Then the drought period (with a maximum around 2.500 years BC) explains today's presence of some stepping species (as Tracomitum venetum, Sacabiosa alba*) which migrated from East.*

·The complex of the specific ecological conditions that characterize this transition system at this scale lag, explain the genetic selection of the endemic species as Centaurea Tommasii *and* Salicornia Veneta.

Changing the time scale resolution: the human influence

If we dramatically change the time scale resolution and we consider only the last millennia, other ecological disturbances appear to be the main shaping factors of today's landscape.

·pre-Roman and Roman age

The North Adriatic coast has been inhabited since the prehistoric age, but it was the Romans, after the deforestation stared from Neolithic, who intensively transformed this landscape by means of the centuriae *reclaim and cultivation systems and of the coast settlements (Ravenna, Spina, Altino, Aquileia). These transformations led to a growing sediment run off, speeding the lagoon filling process.*

·Around the first millenium

In this period the human contribution to the landscape transformation became more evident. To guarantee the ports (Lagoon) navigability, the local society (quickly developed from the VI century) tried to slow down the filling process by means of dams in front of the lagoon rivers' mouth. This protection became stronger and stronger by means of the constitution of a specific Office (Savii delle acque) starting from the XIV century.

·The modern age

In this period the ecological transformation of the Lagoon landscape was intensified due to the human need. All the principal rivers have been diverted from the Lagoon to the Adriatic sea and the shoreline and the port entrance have been increasingly protected, to guarantee community safeness and economic activities (e.g. the port utilization by a more draught need of shipping). But the lack of sediment filling makes the lagoon more sensible to the sea erosion and influence (more preferential/rapid water dynamic, less fresh and more salt water).

Chronology of the mains actions to control the lagoon morphological evolution.

1324 Argine di S.Marco
1534 Taglio dl Re e Cava Zucchina
1540 termina deviazione Bacchiglione e Brenta
1599 Taglio di Porto Viro
1600 Tagli Garzoni e S.Ilario
1610 Taglio Nuovissimo
1639 Diversione Piave
1683 Diversione Sile
1725 Canale S.Spirito
1727 trasformazione Porto Lido e Malamocco
1787 Murazzi
1791 Conterminazione lagunare

Landscape ecology application: an example

A study was performed to define the landscape ecological characteristic of one of the 36 Lagoon Islands (Certosa), to use it in a multi disciplinary planning effort. The landscape ecology approach was based on (i) the spatial pattern analyses of the ecotopes mosaic in a wide temporal scale (starting from existing documents), (ii) the estimation of some landscape "values" at different spatial scale. To do this, the Island ecotopes have been classified by means of vegetation land cover measured (today) or estimated (past).

Valuation

The evaluation model does utilize some indexes (less redundant / most robust), hierarchically connected to each other to allow some synthetic judgements at the ecotope and landscape (ecosystem mosaic) level. Given the multiplicative logic of the hierarchical relationships, the low level indexes have the same potential influence to the final judgement. The structure of the model allows the decision maker to rebuild the evaluation process (clearness and transparency of the judgement). At the ecotope level the parameters used are the floro faunistic value (estimation of the ecotope capacity to maintain biodiversity), the cultural value (estimation of the social perception of the aesthetic and historical value of the ecotope), and the ecological value (estimation of the probability that the biotic and abiotic relationships of the ecotope could be reproduced).

The parameters used at the Island scale synthesize the degree of the spatial organization and heterogeneity transformation, and estimate the cultural, ecological and florofaunistic values at the Island scale (Square root surface weighted average of each ecotopes) .

Conclusions

The ecological/cultural legacy of the Venice lagoon landscape comes actually from the co-evolution of non human and human processes at different scale, and the human processes (in terms of information, energy and matter fluxes) that contribute to transform he landscape pattern can be considered as ecological processes in a landscape ecology perspective. We need to consider these dynamics to develop sound evaluations in a decision process for planning or design purpose, and, in fact, in the application case the landscape dynamic shows that:

1. the Certosa spatial pattern (rural configuration) have been table for 7 centuries, and then changed abruptly (low diversity during the military- industrial period, high diversity after the abandonment);

2. the natural (floro-faunistic) and ecological (reproducibility, rareness) "values" at the ecotope and Island scale are generally low;

3. the cultural weight has to be accounted for the ecological planning destiny of the Certosa Island (as for all the Lagoon);

4. the highest ecological interest now lies on the scientific analysis of the ecological evolution (unknown)of some developing ecotopes;5.the cultural values of the single ecotopes and of the whole Island are generally low, but high from the planning expectation point of view.

Francesca Sartor

Arredo urbano a Sacca Fisola

L'intervento ha per oggetto la riqualificazione delle aree scoperte comunali dei quartieri residenziali popolari di Sacca Fisola e Giudecca 95, nell'isola della Giudecca a Venezia.

A Sacca Fisola l'impianto planivolumetrico risulta frammentario e privo di carattere urbano; il pessimo stato di conservazione delle pavimentazioni e della vegetazione contribuisce a rendere il carattere di zona emarginata.

Giudecca 95 presenta un impianto planivolumetrico molto chiaro e regolare, con una insolita rotazione rispetto alla disposizione ortogonale dell'isola della Giudecca, confinante con l'alto muro del carcere; le aree verdi comuni sono in stato di semi-abbandono e sul retro degli edifici vi sono accatastamenti di rifiuti.

Si ritiene necessario un ridisegno degli spazi scoperti, sia per Sacca Fisola che per Giudecca 95, per dare una maggiore identità ai luoghi, per definire i vari tipi di aree pavimentate e a giardino e ottenere spazi verdi meno frammentati e più facilmente fruibili.

A Sacca Fisola, Campo della Chiesa e Campo S. Gerardo sono ridisegnati al fine di ottenere una maggiore caratterizzazione dei campi contigui.

A Giudecca 95, l'area scoperta è progettata una sequenza di spazi di relazione diversi, pavimentati e a giardino.

Per entrambi gli ambiti, si sono proposti elementi di caratterizzazione morfologica e funzionale dello spazio, in vista anche di interventi successivi; si ritiene infatti fondamentale permettere la definizione dei luoghi nel tempo, in base all'uso quotidiano e alle esigenze degli abitanti.

Le aree pavimentate sono definite e caratterizzate anche grazie all'uso di materiali diversi; per le zone più rappresentative si sono utilizzati i materiali tradizionali, mentre per le altre aree si sono cercate soluzioni alternative. I materiali prescelti hanno permesso una forte riduzione dei costi dell'intervento e ne hanno facilitato la fattibilità economica.

Urban design in Sacca Fisola

The goal of Edilvenezia Spa's intervention is the requalification of the common open areas located in the residential quarters of Sacca Fissola and Giudecca 95, on the island of the Giudecca, Venice.

On Sacca Fisola the planivolumetric establishment is fragmented and lacks any urban character. Its state of poor conservation, especially of the paving and garden areas, contribute to its being considered an alienated zone.

Giudecca 95 presents a plainvolumetric structure that is very clear and regular in design, having an unusual rotation with respect to the orthogonal layout of the Giudecca island, and bordering the high wall of the prison. The green common areas are in a state of semi-abandonment and large piles of refuge can be found behind the buildings.

A redesigning of the open spaces both for Sacca Fisola and for Giudecca 95 is called for, in order to improve the area's identity, define the various types of paved and green areas, and create green areas which are less fragmented and more readily accessible.

On Sacca Fisola the campi (squares) of the Church of San Gerardo have been redesigned with the scope of giving greater characterisation to the adjoining campi. On Giudecca 95, the open area is planned to have a series of spaces with diverse relationships, paving, and garden spaces. For both environments, elements of morphological and functional spatial characterisation are planned, with subsequent interventions also in sight. It is also fundamental to allow for the definition of the areas through time, based on the everyday use and needs of the inhabitants. The paved areas are defined and characterised also thanks to the use of different materials. For the more representative areas traditional materials have been used, while for the other areas alternative solutions have been found. The selected materials have allowed for a large reduction in intervention costs and have facilitated the economic feasibility of the projects.

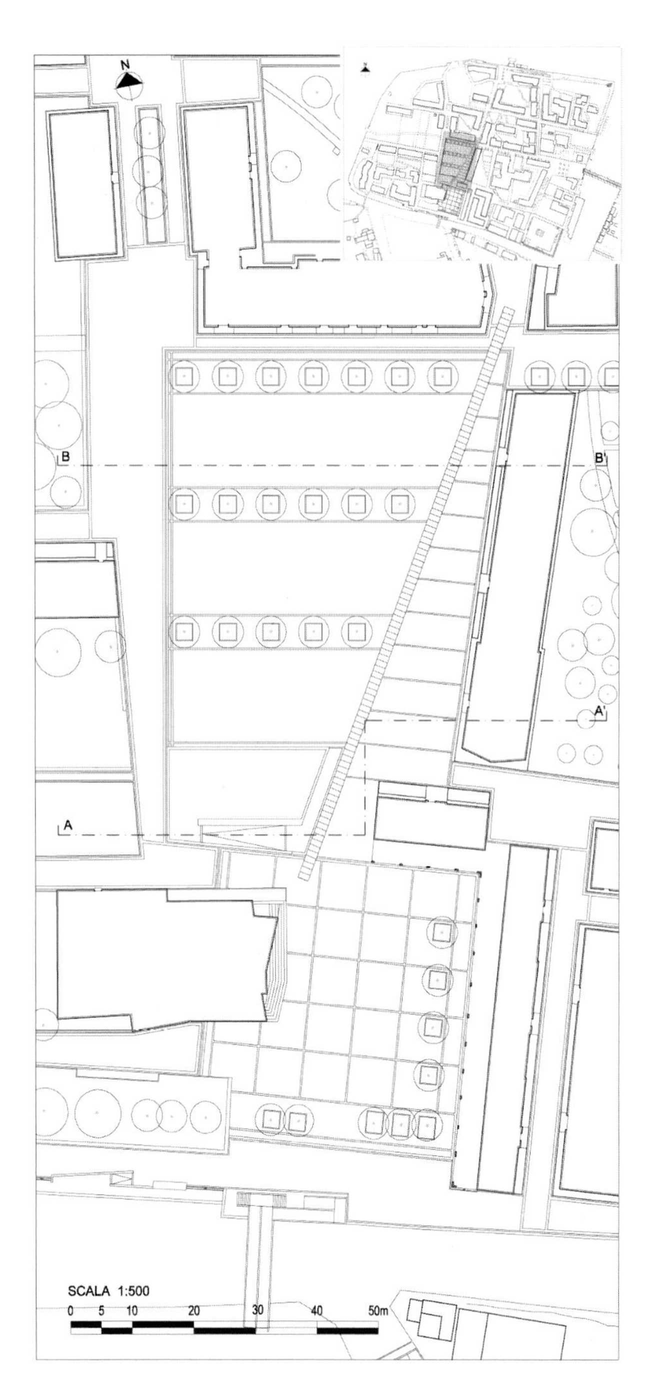
N
B
B'
A'
A
SCALA 1:500
0 5 10 20 30 40 50m

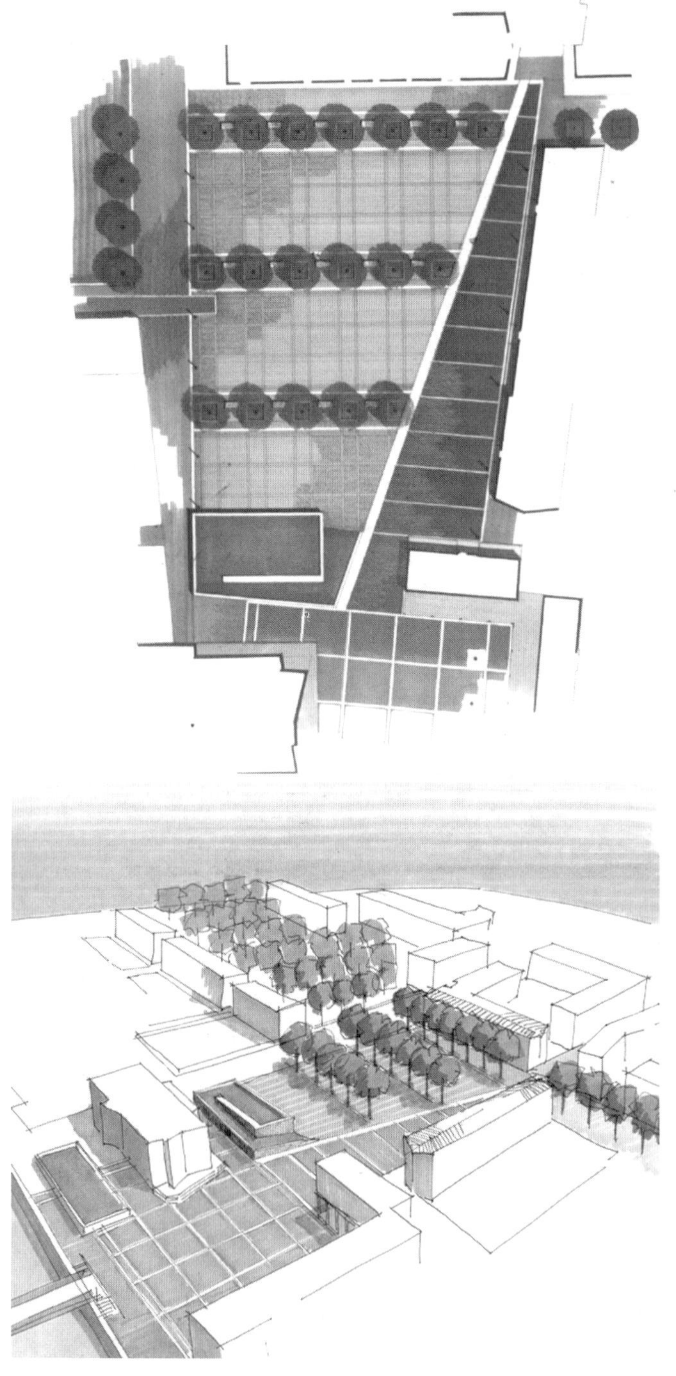

25
12
100
25
12
25

Paesaggi mutevoli nella laguna di Venezia

Parlare di progetti pensati o realizzati in laguna di Venezia, diventa occasione per affrontare il tema di un complesso laboratorio di paesaggio, in cui tutte le sue componenti sono oggetto di incessante trasformazione o manipolazione e comunque sempre in relazione di complessità dinamica. Ognuno dei progetti presentati, scelti per la diversità di luoghi, scale e problematiche affrontate, si sintetizza in *concept*, che diventano lo strumento di lavoro per decifrare e recuperare la complessità dei segni presenti. Ogni azione è comunque sempre compresa nello spazio di contaminazione tra esperienza fisica del luogo e esperienza percettiva della sua dimensione.
Paesaggio preso a prestito: un piccolo progetto di due terrazze pensili, pensate come piano, tolda di nave sospesa sopra la copertura di un edificio industriale alla Giudecca, ingloba gli universi della città di Venezia e della sua laguna, distinti dall'abitazione che le separa. Le differenti quote del piano delle due terrazze diventano lo strumento per selezionare la percezione dello spazio – paesaggio che le circonda. La precisione del dettaglio è lo strumento per misurare ed esperire lo spazio fisico delle terrazze e fare decantare le tracce dei macchinismi che le sorreggono.
Tra pubblico e privato: il progetto dei percorsi e spazi pubblici all'isola delle Vignole disegna e traccia le trame delle relazioni antropiche con il paesaggio. Materiali e forme sono gli strumenti che facilitano o dissuadono tali relazioni, secondo una progressione che dalla struttura più pubblica del canale navigabile, offerto all'esplorazione turistica, si addentra in relazioni più strette e private tra le proprietà agricole ed i suoi abitanti. Dove le tracce si fanno nuove, lungo un fosso da pesca, i percorsi diventati in legno si distaccano dal suolo per non alterarne struttura e complessità di funzionamento.
Innesti: Un paesaggio ai margini settentrionali della laguna, delimitato dal perimetro di una vastissima tenuta agricola, cancellato nei suoi segni dall'azione di bonifica e non più sostenibile dalla monocoltura. Il masterplan procede per innesti di paesaggio: nuovi volumi boschivi ed interventi di rimodellazione e scavo del terreno costruiscono, sopra la geometria regolare della bonifica, un paesaggio di agricoltura sostenibile. L' innesto di nuovi segni, indizi di trasformazioni future, è volto a recuperare tratti fondativi del territorio perilagunare, quali il bosco di pianura, la compresenza di differenti sistemi idraulici.
Il progetto di strutture tecnologiche nel territorio, gli impianti eolici, inseguito in Italia meridionale dove vento e geografia lo consentono, ha fornito la possibilità di sperimentare come l'interazione tra poche invarianti, ossia gli elementi di cui sono composti gli impianti: torri, strada, spiazzi ed il paesaggio, fattosi suolo, segno e traccia, dia costantemente luogo a progetti sempre e necessariamente differenti. Un'esperienza che si è sviluppata dall'azione sintetizzante di un concorso internazionale di architettura 'Paesaggi del vento', alla sua fase realizzativa, per giungere infine alla dimensione propria di un progetto di paesaggio, ossia la molteplicità delle sue relazioni con il territorio, quindi trama, supporto di operazioni che investono la comunità, intesa come presenza antropica sul territorio stesso. Progetti che hanno espresso modi secondo i quali trovare relazione tra gli impianti eolici e le tracce presenti, ne hanno sondato le possibilità di realizzazione, hanno verificato la necessità di trovare forme più complesse di ridisegno del paesaggio, l'integrazione con altre forme di energia sostenibile o con altre strutture del paesaggio quali le presenze archeologiche.
I lavori presentati sono stati fatti assieme a Daniela Moderini (con la sigla DD1479), il lavoro delle terrazze alla Giudecca anche con Ippolito Pizzetti, i lavori per gli impianti eolici anche con G.A. Selano ed il concorso "Paesaggi del Vento" è stato fatto da L. Zampieri, D. Moderini, G.A. Selano, G. Manente, N.Paltrinieri, P.Cimino.

PERCORSO 2: PIANTA NODO 6 - SCALA 1:200
PERCORSO 2: PIANTA NODO 7 - SCALA 1:200
attraverso la riconfigurazione delle sezioni del suolo nell'ambito compreso tra il fiume Vallio e la Piovega, si può ottenere una nuova complessità paesaggistica fatta di dossi alberati ed aree allagabili destinate alla fitobiodepurazione

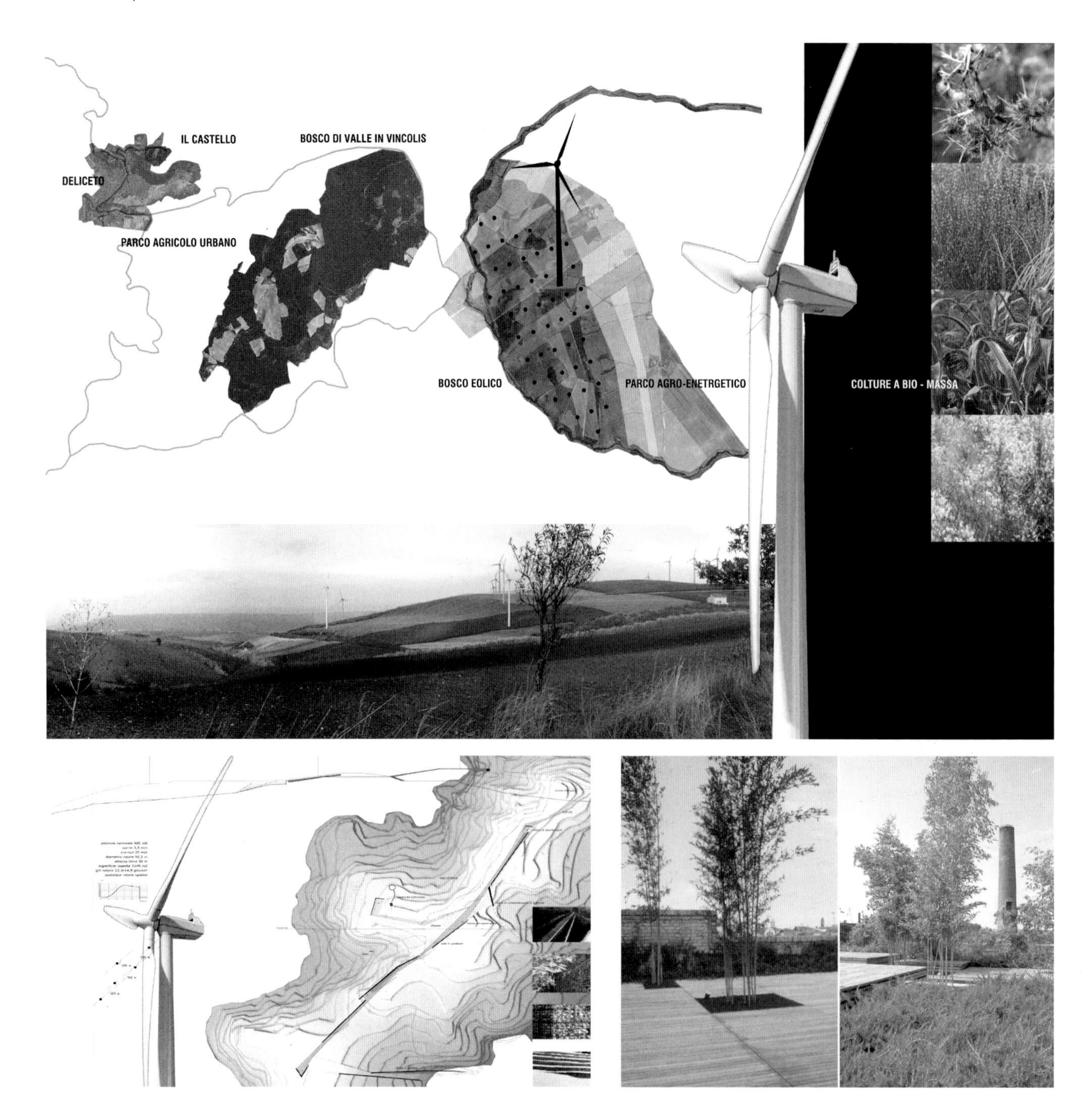
IL CASTELLO
BOSCO DI VALLE IN VINCOLIS
DELICETO
PARCO AGRICOLO URBANO
BOSCO EOLICO
PARCO AGRO-ENETRGETICO
COLTURE A BIO - MASSA

Changing landscape in the lagoon of Venice –New landscapes

Talking about projects thought for or realized, in the lagoon of Venice, is an opportunity to deal with the issue of a complex landscape laboratory where the components are in an unremitting transformation or manipulation, always in relationship of dynamic complexity.
Each one of the projects, coshed for the diversity of places, dimensions and complexity, can be synthesized in a "concept" that became the work instrument to decode and to recover the complexity of the existing signs.
Every action is always included in the contamination space between the physical experience of a place and the perceptive experience of its dimension. Depth and view take a central stage.
Rented landscape. *A small project of two roof gardens includes the universes of Venice and its lagoon delimitated and distinguished by the loft that separates them. It was thought as a floor, a deck of a ship suspended over the roof of an industrial building transformed into a residential space in the Giudecca island.*
The different levels of the terraces are the instrument to select the surrounding landscapes.
Movable floors change into chairs, a transformable configuration of the north terrace and gardens have been designed keeping orientation, views and light conditions in mind.
The details precision becomes the instrument to take measures and experience the physical space; only few signs of the machineries that support the deck are visible.
Between public and private: *the project of public ways and spaces of the Vignole island, draw the plan of the anthropic relations with the landscape. Materials and forms are the instruments to ease or deter these relations. They fix a graduality from public spaces to more private ones, following a progression from the structure of the public channel, offered to touristy exploration, to a stricter relationship between farmlands and inhabitants. New tracks, like the one along a fishing channel, are wooden walkways lightly suspended from the ground, much like a landing-stage, leaving unaltered the complicated earth and water system.*
Grafts: *a landscape located at the northern edge of the lagoon is delimitated by a vast farm territory, in an area where fresh and salt water meet. Its original game of signs between ground and the vegetable system were cleaned out by the action of a twentieth century land reclamation which cannot be sustained any more by mono cultivation.*
The concept of the master plan project is based on landscape grafts: new forest volumes and ground remodelling and dig actions build, over the regular land reclamation geometry, a landscape of a sustainable agriculture. The graft of new signs, ways of future transformations, tends to recover the well-grounded traits of this territory, like the plain forest and the complexity of the different hydraulic systems.
Landscapes of the wind: Projects of wind mills installations in southern Italy gave us the opportunity to go through the relationship between new technologies and territory.
Moving from an international idea competition entitled 'Paesaggi del vento' *we went through the executive phase reaching the proper dimensions of a landscape project; that's the complexity of the relations within the territory meant as the design in the real-life plan of actions of the community, the anthropic interacting presence in the landscape.*
The projects were aimed to analyse how to deal with several renewable energy systems, each time facing different landscapes and political issues, even looking for more complex forms of integration, such as the interaction with archeological tracks.
The opportunity of drawing several plans focused our attention on how the interaction between the technological elements and the landscape became ground, sign, track and how it always aroused the need of different projects and different figures. The shape of grass streets for pasture was assumed to design the installation plant; property lines defined the structure of the track; the study of how the shadows move through the landscape was done to guide the interventions; seasonal changes and colours were assumed to determine colours and materials for the paths.
All the work presented was realized together with Daniela Moderini (with the DD1479 seal). The work of the terraces on the Giudecca was realized by Ippolito Pizzetti, while the work of the air systems was made by Giovanni Alessandro Selano. The competition "Paesaggi del Vento" was developed by Laura Zampieri, Daniela Moderini, Giovanni Alsessandro Selano, Giulia Manente, Nicola Paltrinieri, and Pino Cimino.

VESTA - Venezia Servizi Territoriali Ambientali

VESTA, Venezia Servizi Territoriali Ambientali, società per azioni a totale proprietà pubblica, è una multiutility che opera nel Comune di Venezia, in altre aree nazionali e all'estero nella città di Kosice in Slovacchia.
Il marchio della nuova società ricorda, nei colori, nella grafica e nei caratteri, i numeri civici veneziani. Ma VESTA ha anche un altro significato perché, ai tempi della antica Roma, era la dea della famiglia e del focolare domestico.
Nata dalla fusione di Amav ed Aspiv, due società le cui origini risalgono al 1969, VESTA ne ha ereditato i settori in cui erano attive e li ha implementati.
Attualmente gestisce i seguenti servizi:
- Ciclo integrato delle acque, comprendente captazione, potabilizzazione, trasporto, commercializzazione, fognatura e depurazione dei reflui;
- Ciclo integrato dei rifiuti, comprendente raccolta dei rifiuti solidi urbani per flussi separati, spazzamento e lavaggio del suolo pubblico, trattamento e smaltimento;
- Bonifiche, dalla progettazione dell'intervento all'esecuzione e allo smaltimento del materiale;
- Gestione e manutenzione ordinaria e straordinaria degli spazi verdi;
- Allestimento dei percorsi pedonali nel Centro Storico di Venezia, in occasione dell'acqua alta;
- Cleaning pubblico e industriale;
- Servizi cimiteriali;
- Gestione tariffaria;
- Gestione di mercati all'ingrosso ittico ed ortofrutticolo;
- Gestione dei servizi igienici pubblici;
- Fornitura gas.

VESTA possiede numerose certificazioni europee di qualità: ISO 9001 per il ciclo integrato dell'acqua, ISO 9001 e 14001 per i servizi operativi di terraferma e ISO 9002 per le attività legate al cleaning.
Il gruppo VESTA opera anche con società controllate e collegate.
VESTA possiede un importante patrimonio impiantistico.
Il Polo integrato per la gestione dei rifiuti, situato a Fusina nell'area industriale di Porto Marghera, comprende impianti ad alta tecnologia, accorpati in un'area di proprietà dell'azienda per razionalizzare i processi di recupero sia dei materiali che di energia, nel più rigoroso rispetto dell'ambiente.
Sono operativi l'impianto di termovalorizzazione; di compostaggio; di produzione di CDR; di travaso e trasferimento dei rifiuti solidi urbani e di compattazione e pressatura del legno.
Altri importanti impianti sono quello di trattamento rifiuti tossico nocivi; di potabilizzazione e di depurazione
Alcuni dati significativi: VESTA con circa 1400 dipendenti e un valore della produzione pari a €145.553.985,00, serve una popolazione di 271.000 abitanti.
I clienti del settore ambiente sono circa 140.000 mentre quelli dell'acqua ammontano a circa 124.000.
Nel 2002 è stata venduti acqua per € 43.680.977 e sono stati smaltiti 189.299,22 ton. di rifiuti.

Il cantiere di Sacca San Biagio *Ovest*
Il Cantiere nautico di VESTA si trova alla Giudecca nell'area di Sacca San Biagio. Si estende su una superficie di circa 9.500 metri quadrati: 6.800 scoperti e 2.700 di aree coperte. Esso è sorto negli anni Cinquanta e via via è stato ingrandito secondo le nuove necessità operative, ma attualmente non riesce a soddisfare completamente le esigenze della società.
All'interno dell'area si trovano:
- aree di ormeggio dei natanti;
- i servizi e gli spogliatoi per il personale;
- l'officina attrezzata per la carpenteria leggera, dove si effettuano riparazioni sui carri per i rifiuti che vengono usati dai netturbini in centro storico, sui cassonetti per la raccolta dei rifiuti e su tutte le attrezzature che vengono utilizzate dal personale;
- la falegnameria, dove si costruiscono e si riparano i natanti aziendali in legno e vetroresina;
- l'officina di pronto intervento attrezzata per le riparazioni urgenti a mare;
- l'officina meccanica attrezzata per la revisione di motori, piedi poppieri, gru e attrezzature varie;
- un capannone dove vengono

effettuati lavori di carpenteria pesante oltre a riparazioni e verniciature dei natanti aziendali;
- un magazzino per la distribuzione di ricambi e materiali di consumo vari;
- due capannoni prefabbricati: uno utilizzato come deposito, l'altro per le riparazioni a lungo termine delle imbarcazioni aziendali.

Nel cantiere operano 37 operai che effettuano tutte le riparazioni sui mezzi aziendali, ad esclusione della manutenzione degli scafi di grandi dimensioni (unità da 37/50 metri quali chiatte, motochiatte, rimorchiatori, pontoni), per i quali non esiste una struttura adeguata al loro alaggio.

Lo scarico delle imbarcazioni, dotate di compattatore, che effettuano la raccolta dei rifiuti nel Centro Storico di Venezia, viene effettuato utilizzando una grù di grande potenzialità (26.000 Kg.), nell'area dove si trova il vecchio inceneritore ormai in disuso.

I rifiuti vengono trasferiti in una chiatta che raggiunge l'impianto di trattamento di Fusina nell'area industriale di Marghera.

Il cantiere è anche la base operativa e organizzativa della flotta aziendale, formata complessivamente da 126 unità. 57 barche sono dotate di compattatore e di attrezzatura di sollevamento; 25 con il cassone aperto per la raccolta di rifiuti solidi urbani, ingombranti e per la raccolta differenziata, 5 motochiatte dotate di attrezzatura di sollevamento per la raccolta dei rifiuti dei mercati (Rialto e Giudecca); 11 chiatte di diverse dimensioni (da 500 e 1.200 metri cubi) per il trasporto dei rifiuti solidi urbani verso l'impianto di Fusina; 5 catamarani spazzamare utilizzati per la pulizia dei canali, 8 pontoni attrezzati (impianto di lavaggio natanti e attrezzature, stazione di travaso, usi vari), un rimorchiatore che serve per portare le chiatte verso l'impianto di Fusina, 6 motoscafi per il trasporto delle persone, 3 zatterini per usi vari (soprattutto trasporto materiali e personale per gli interventi di manutenzione), 4 mototopi per trasporti di materiali di vario genere, un pontoncino tipo passetto.

La movimentazione delle unità e il loro utilizzo vengono assicurati da 87 piloti motoristi e da 15 manovali di bordo, che garantiscono la copertura delle 68 zone di raccolta dei rifiuti solidi urbani in cui è divisa Venezia, la distribuzione dei materiali, la raccolta differenziata e i servizi vari d'istituto.

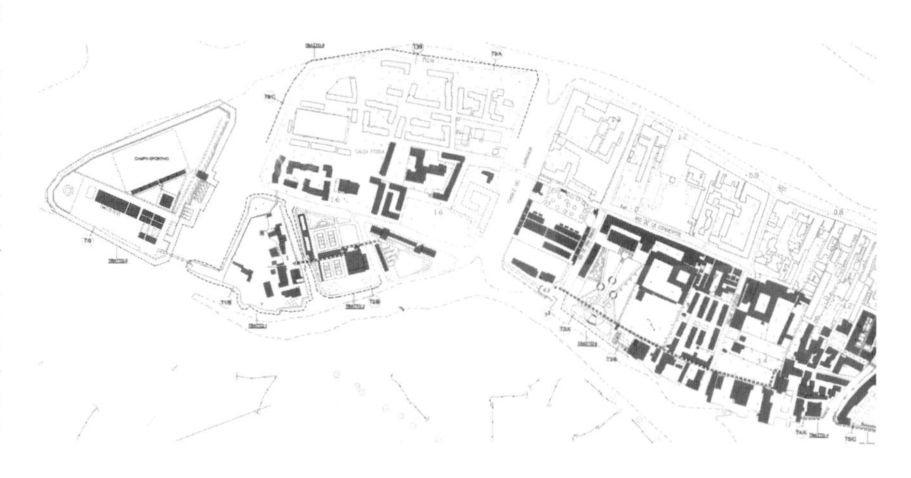

Pianta al piano terra di Sacca San Biagio Ovest, stato attuale. Planimetria del fronte sud della Giudecca (G. Lombardi)

Ground floor plan of Sacca San Biagio Ovest, present situation. Plan of the south side of the Giudecca (G. Lombardi)

VESTA, the Territorial and Environmental Services of Venice, is a joint-stock company, entirely publicly owned, a multi-utility which operates in the municipality of Venice and in other national areas, as well as abroad in the city of Kosice in Slovakia.
The new company's trademark recalls Venetian street numbers in its choice of colours, graphics and characters. However, the word VESTA has another meaning taken from ancient Roman times, that of goddess of the hearth and of the family.
VESTA was created following the merging of the companies Amav and Aspiv, both of which were founded in 1969. VESTA took over and expanded the sectors in which these former companies were involved.
Presently it manages the following services:
-Waterworks services cycle, including drainage, water conditioning, transport, marketing, sewage system and purification of fluid waste
-Integrated waste management, including urban solid waste collection for differentiated flows, sweeping and cleaning of public ground, treatment and disposal
-Enviromental reclamation work, from the planning to the execution and disposal of material
-Permanent and temporary management and maintenance of green areas
-Assembly of pedestrian walkways in Venice proper in case of high water
-Public and industrial cleaning
-Cemetery services
-Tariff management
-Management of wholesale fish, fruit and vegetable markets
-Management of public toilet facilities
-Gas supply
Vesta is in possession of numerous European certifications of quality: ISO 9001 for the integrated water cycle, ISO 9001 and 14001 for mainland operational services, and ISO 9002 for cleaning activities.
The VESTA group also operates with subsidiary and affiliated companies.
Vesta owns a number of large and important plants.
The central integrated hub for the waste management is situated in Fusina, in the industrial area of Porto Marghera. It is made up of highly technological plants, unified in a single company-owned area so as to rationalise the collection processes of both materials and energy, with the most rigorous respect for the environment.
Plants for the following functions are currently in operation: heat regeneration, composting, CDR production, separation and transfer of urban solid waste, and compaction and pressing of wood.
Other important plants exist for the treatment of harmful toxic waste, water conditioning and purification.
Some important facts:
VESTA employs nearly 1,400 workers.
It has a production value equal to euro 145,553,985.00 and it serves a population of 271,000 inhabitants.
In the environment sector it has nearly 140,000 clients, whereas in the water sector the number of clients amounts to nearly 124,000.
In 2002 water was sold for euro 43,680,977 and 189,299.22 tons of waste were disposed of.
The VESTA dockyard is located on the island of the Giudecca in the zone of Sacca San Biagio. It covers an area of

Campo S. Gerardo
Canale
Sacca
Fisola
San
0 10 20 50 100

nearly 9,500 square metres, of which 6,800 are open spaces and 2,700 are covered spaces.
The dockyard was built in the 1950s and was gradually expanded according to operative needs. Today however it is no longer capable of completely satisfying the demands set by the company. Inside the area one can find:
-boat mooring areas
-services and changing rooms for personnel
-a light carpentry workshop where repairs are made to rubbish carts used by the garbage collectors in Venice proper, and to the rubbish bins used for waste collection, as well as to all other equipment used by personnel
-a carpenter's workshop for the construction and repair of company boats in wood and plastic / fibreglass
-an emergency shop for urgent repair at sea
-a mechanic's workshop equipped for the servicing of motors, shotters, cranes and various equipment
-a warehouse utilised for heavy carpentry, repair and painting of company boats
-a storehouse for the distribution of spare parts and diverse consumer materials
-two prefabricated warehouses: one used as a storeroom, the other for the long-term repair of company boats
The dockyard employs 37 technical workers who make the repairs to all company transport vehicles, with the exception of maintenance to large hulls (measuring 37/50 metres, such as barges, motored barges, towboats and pontoons), for which there is no adequate structure available for their towage. The unloading of the boats, which are equipped with compressors and used for collecting waste in Venice proper, is effectuated by the use of a large crane (26,000 Kg) in the area of the old incinerator currently in disuse. Collected waste is transferred by barge to the treatment plant of Fusina in the industrial zone of Marghera.
The dockyard is the operational and organising base of the company's fleet which is comprised of a total of 126 vessels: 57 boats equipped with compressors and lifting apparatus; 25 boats with open bins for the collection of bulky material and solid and differentiated waste; 5 motor barges equipped with lifting apparatus for the collection of waste from the markets of Rialto and the Giudecca; 11 barges of different sizes (from 500 – 1,200 cubic metres) for the transport of urban solid waste to the Fusina plant; 5 sea-sweeper catamarans used for cleaning canals; 8 pontoons with boat washing systems and equipment, drainage stations, and other facilities; a towboat for towing the barges near the Fusina plant; 6 motorboats for human transport; 3 small rafts for various use (mostly for transporting materials and personnel involved in maintenance operations); 4 small motorboats and a small pontoon-type boat for transporting various materials.
The proper handling and use of the boats is ensured by 87 skilled boat pilots and 15 labourers. Together they guarantee coverage of the 68 zones in which Venice is divided for the removal of urban solid waste, as well as the distribution of materials, the collection of differentiated waste and various other services offered by the institute.

Andrew Alstatt

Il tema delle residenze a Sacca San Biagio Ovest si lega a ciò che sia più opportuno/appropriato per questa parte della Giudecca. Il progetto si basa su tre principi guida: il primo è di rendere la coerenza spaziale e di scala tra gli spazi d'uso pubblico e quelli d'uso privato. C'è tra loro una chiara gerarchia, attraverso le scelte di materiali, i prospetti e il paesaggio visivo. Il secondo principio è il progetto di un'area che interagisca empaticamente con tutti i sensi. La vegetazione, il canale e la struttura edificata contribuiscono assieme a dare degli stimoli visivi, ma anche uditivi, tattili ed olfattivi. Il terzo principio si propone di progettare delle unità abitative flessibili, per rispondere alle esigenze delle varie famiglie.
Per la maggior parte, le unità abitative sono strutturate su due piani, con gli spazi per il lavoro e le attività sociali su un livello, e quelli privati sull'altro. Queste aree si invertono in base al paesaggio visivo alle aree private dall'area più pubblica. Inoltre, è sempre previsto uno spazio aperto per il lavoro, connesso con l'area privata, che a volte si lega a corti e terrazze. Gli spazi interni racchiudono delle minime articolazioni tra le aree pubbliche e private, collocandosi tra bagno, cucina e stanze da letto. Ogni unità abitativa è estremamente flessibile e può accogliere tra i suoi sottili limiti spaziali una grande varietà di programmi funzionali.

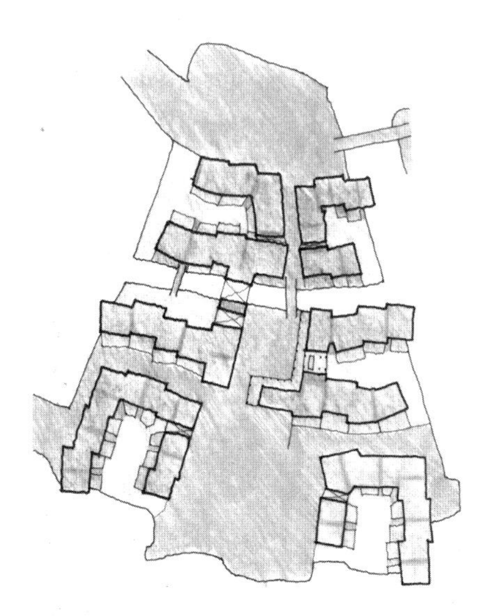

DEGREES OF PUBLIC / PRIVATE

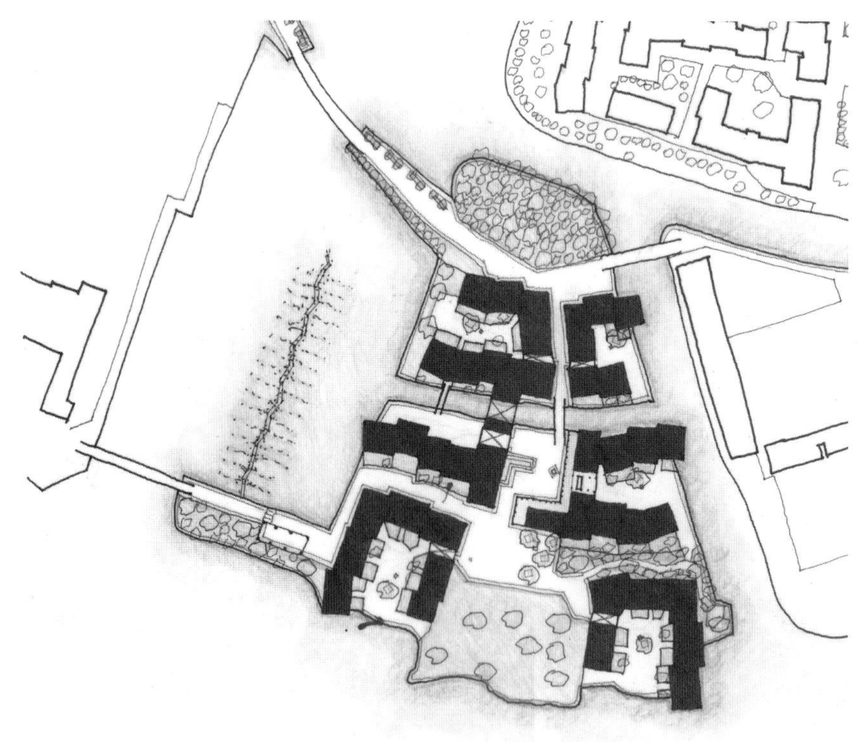

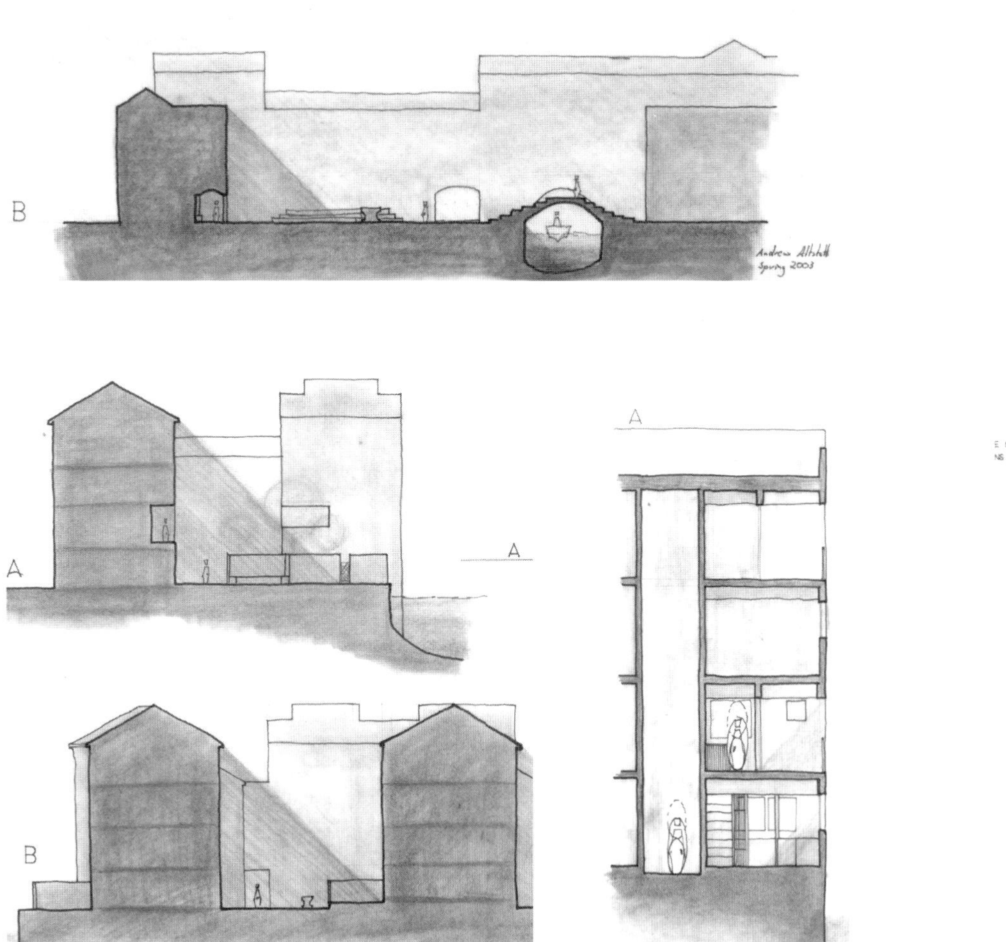

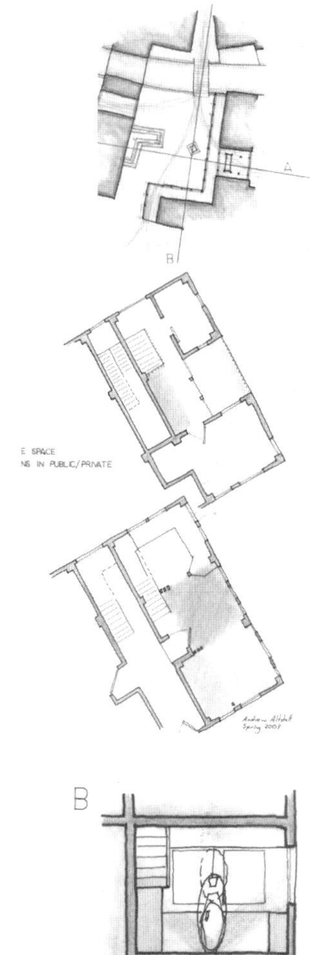

The question of housing on Sacca San Biagio Ovest is about what is proper for this part of the Giudecca. Three principles guide the proposed design. The first is to make spaces along the scale of public to private space coherent. There is a clear hierarchy between them through materiality, elevation, and accessibility of view. The second is a creation of place that interacts with our hepatic senses and provides for our daily needs. Vegetation, canal and structure work together to provide stimuli through sight, sound, smell and touch. The third is an effort to provide ideal units of inhabitation to a wide variety of family configurations.

Most housing units are two floors, with the working and social areas on one floor and private area on the other. These areas are interchangeable according to the access of private views from the social area. Exterior working space connected to the private area is always planned, demanding at times courtyards or balconies. The interiors of the units have places of subtle variation in privacy and publicity, amongst the necessary spaces of kitchen, bathroom and bedroom. Each is to be flexible for allowing a mixing of programs beyond their subtle physical boundaries.

Come foglie di un giardino
Le reti sociali e le relazioni di vicinato costituiscono la linfa vitale di una comunità. In questo contesto di studio, vi sono tre importanti stili di vita: 1) pensionati (appartamenti con un posto letto) 2) lavoratori (due posti letto) 3)famiglie con bambini (tre posti letto). Seguendo queste direttive, il progetto delinea tre categorie di piante tipo, articolando gli spazi attorno a delle aree pubbliche e semi private come giardini, fondamenta, aree per il gioco, ecc. Il progetto vuole evidenziare i seguenti elementi: 1) la valorizzazione dei punti visivi e sonori più interessanti, limitando quelli con impatto negativo; durante le ore diurne gli edifici ad est costituiscono una sorta di barriera acustica, mentre la notte delineano una promenade illuminata; 2) la collocazione logica delle varie funzioni: le attività commerciali sono poste lungo la fondamenta sul canale navigabile, assieme a delle aree verdi; gli alloggi per i pensionati si trovano nelle aree più socialmente animate dell'isola, mentre quelle per i lavoratori si collocano nelle aree più private; al contempo, vi sono però dei punti di sovrapposizione tra le due realtà abitative; 3) lo studio di un contesto e un'atmosfera piacevole; aree alberate, spazi verdi comuni, varie articolazioni e complessità di forme e spazi; 4) la presenza di vari livelli ed articolazioni delle proprietà; il concetto di spazi individuali privati, in particolare in alcune aree pubbliche / semi-pubbliche ed una diminuzione dei costi di gestione nell'isola, il tentativo di aumentare l'attrattività visiva e il senso di appartenenza a questo contesto.

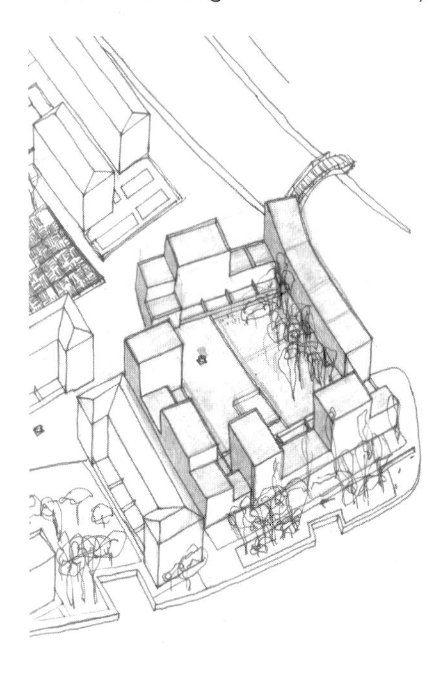

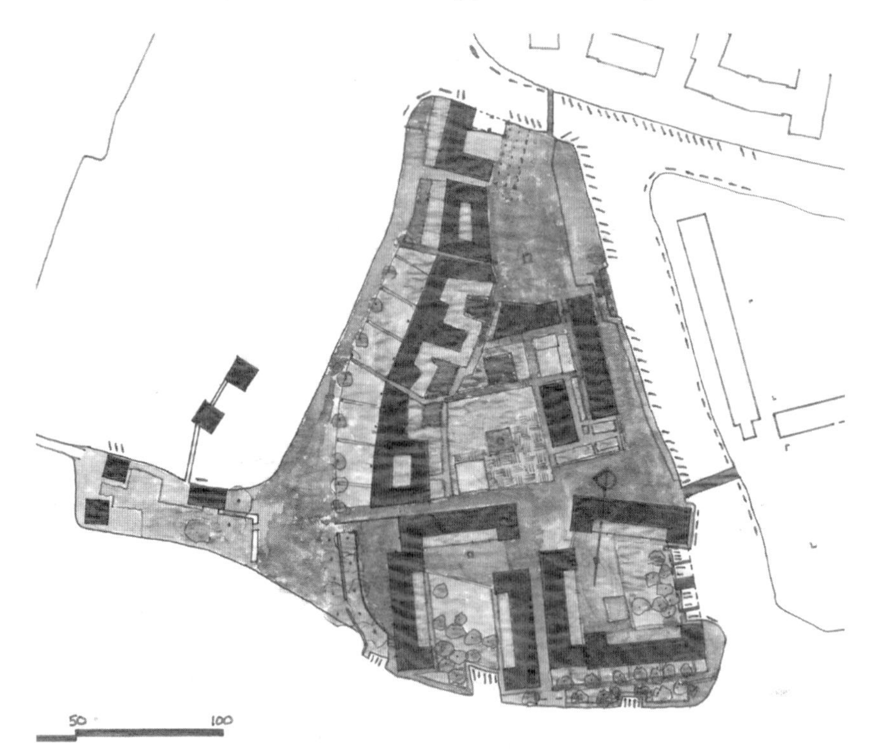

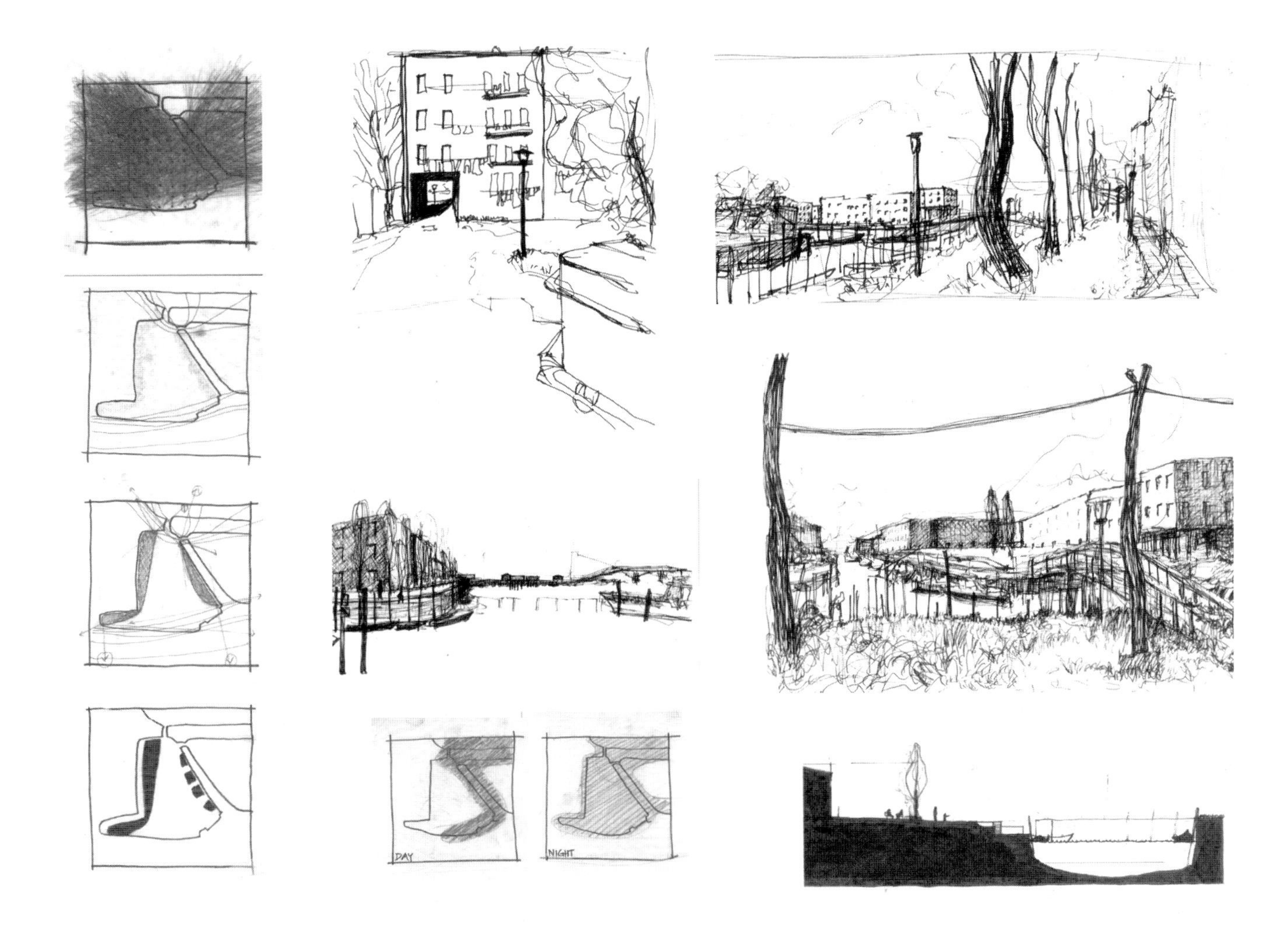

As Leaves of a Garden

Social networks and neighborly interdependences carry lifeblood through a community. Three important "life-cycle" groups for the site are:1) Retired people (roughly one bed),2) working people (roughly two beds), and 3) families with children (roughly three beds). Following these notions, the design addresses three separate "group" plots around several public and semi-private "in-between spaces" (campi, gardens, fondamente, play areas, etc.)

The drawings and diagrams show:1) Exploitation of pleasing sounds and vistas and "blocking" of the ugly ones; eastern buildings act as a sound barrier in the day and a lamp-lined promenade at night. 2) Logical placement of specific activities: commercial activities on the long fundamenta for shipping purposes with gardens, housing for the retired in social parts of the island, working residents in private areas, and overlapping these placements when beneficial. 3) A pleasant useful atmosphere; trees, communal garden opportunities, and varieties in: forms, spaces, and complexity. 4) "Levels or 'boundaries' of ownership;" a feeling of private ownership to certain public/ semi-public spaces, thus reducing maintenance costs to the island, increasing visual appeal and pride in place (see sections and master plan).

Angela Hansen

L'obiettivo principale di questo progetto è di rafforzare le connessioni tra Sacca San Biagio Ovest e le tre isole attorno alla Giudecca. Il secondo obiettivo è di progettare un sistema di gestione e riutilizzo delle acque piovane.

L'isola è connessa all'area est di Sacca San Biagio tramite tre ponti. Si prevede un nuovo ponte verso l'isola adiacente, che accoglie vari impianti ed aree spesso sottoutilizzate. E' inoltre progettata una connessione con l'isola sul fronte ovest, per promuovere l'utilizzo del nuovo parco. L'area ad ovest di Sacca San Biagio è progettata come spazio verde. Gli edifici del complesso residenziale sono progettati tenendo conto degli assi visivi del contesto e ottimizzando inoltre l'orientamento al sole.

La maggior parte dei tetti è progettata per raccogliere l'acqua piovana in apposite canalizzazioni, vasche di drenaggio e raccolta ; su un tetto viene invece progettato un giardino pensile che raccoglie l'acqua direttamente invece di canalizzarla. Tutti i campi progettati hanno un'apposita pendenza per evitare il ristagno d'acqua, convogliandola in tubi drenanti, nei canali o nella laguna. Tra i due campi, vi sono poi delle aree specifiche per la raccolta delle acque meteoriche.

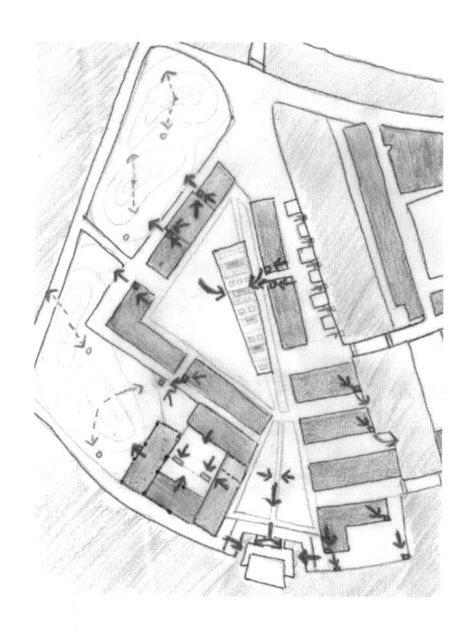

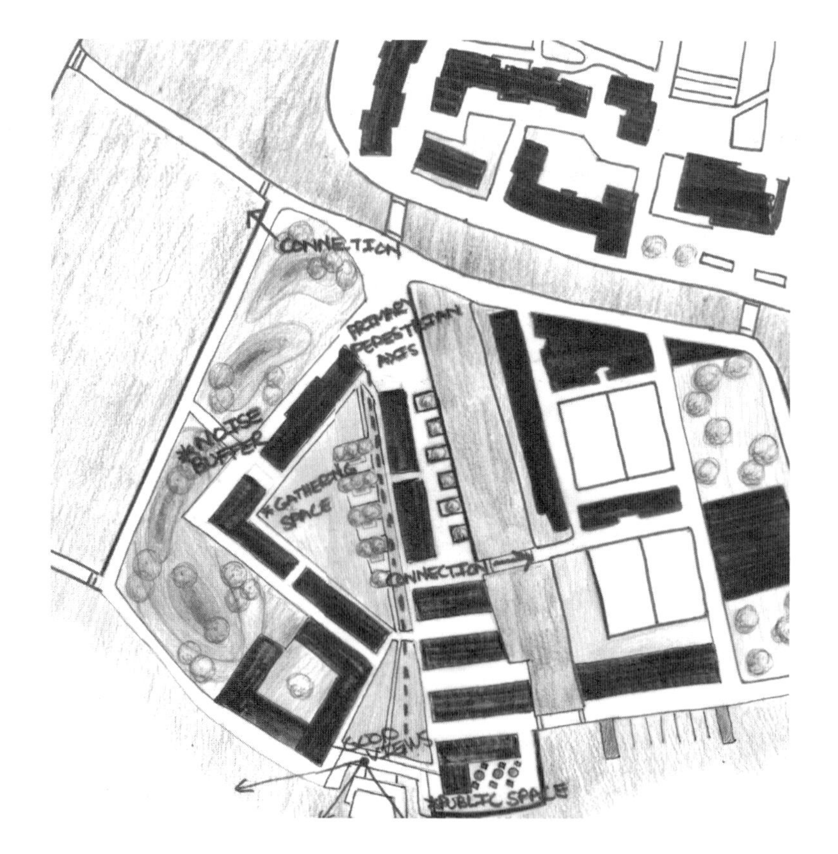

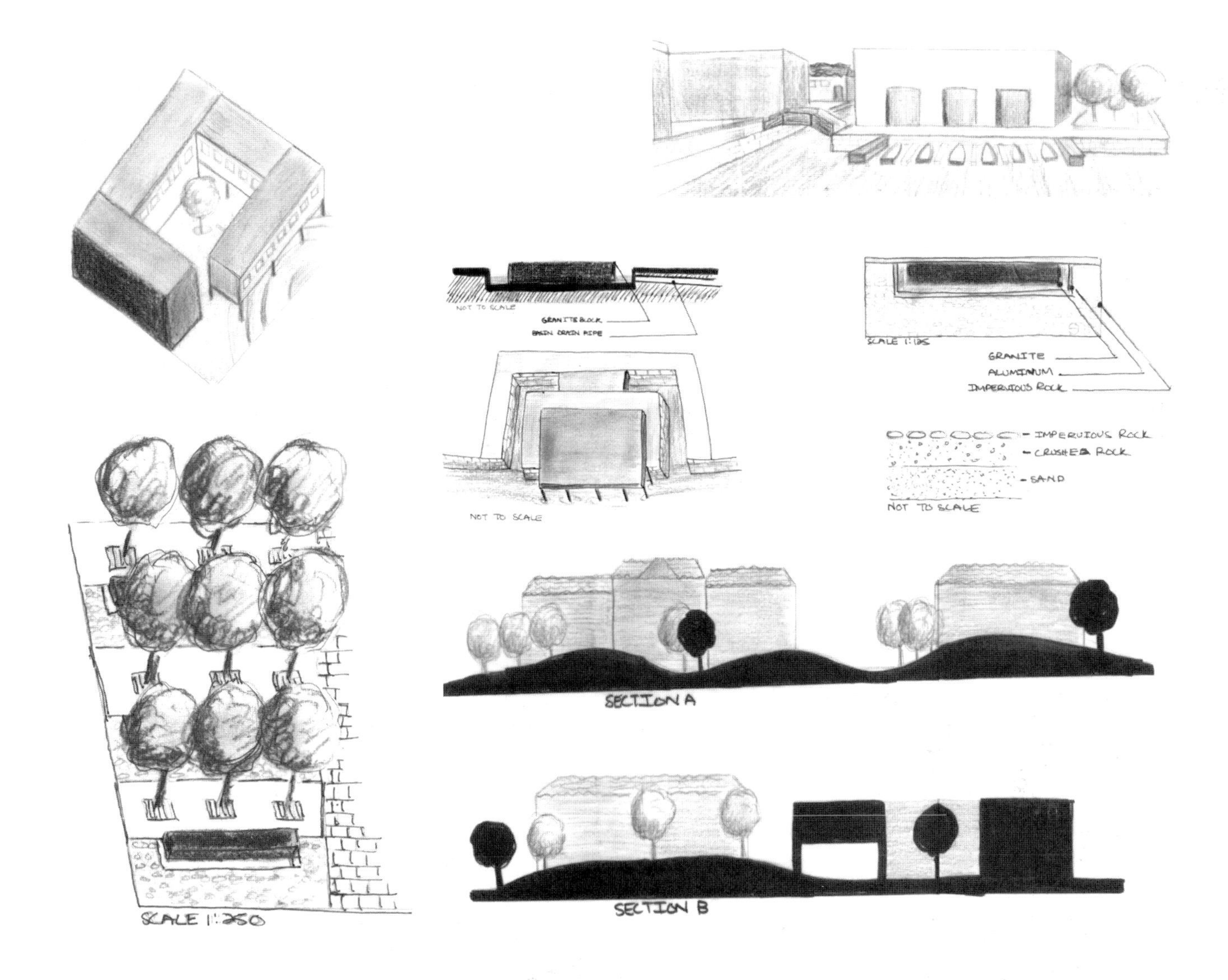

The main goal for this project is to make a stronger connection between the Sacca San Biagio and the three Islands that surround it on the Giudecca. The second goal is to design a storm water management system.

Three bridges were used to make the connection to the Island just east of Sacca San Biagio. A new bridge connects to the adjacent island of sports facilities which are under-utilized. A large bridge is also added on the island to the west to encourage the use of the new park. The west side of Sacca San Biagio is to be a green space. The buildings within the complex are set up for views and best possible solar axis. Most rooftops are designed to collect rainwater into a drain through storm water devices or a canal. One roof within the project has a rooftop garden that collects the water rather than directing it away. All of the hardscaped planes and campi have a minor slope to run the water off the surface into drainpipes, a canal or the lagoon. Within the two campi there are areas designed specifically to handle storm water.

Kari Haug

Il progetto prevede 136 unità abitative con terrazza, varie panchine e sedute per contemplare la laguna, un'area verde, un campo centrale e un'area commerciale nella zona meridionale dell'isola. Il progetto articola due importanti elementi del tessuto edilizio veneziano, adattandoli però alle caratteristiche urbane della Giudecca. Il primo tema va a considerare la vitalità del margine meridionale dell'isola, soggetto anche attualmente a trasformazioni continue, dopo l'originario utilizzo a fini agricoli. In secondo luogo, vi è il concetto di compressione e distensione spaziale. Viene dunque evidenziata la compressione orizzontale in opposizione a quella verticale, per accentuare la distensione orizzontale della linea lagunare. Il piano si fonda su tre concetti principali: 1) l'ubicazione del sito, che costituisce un elemento di connessione all'adiacente isola, che ospita servizi ed attrezzature per le attività sportive, determinando l'utilità di sviluppare dei sistemi di circolazione e degli spazi verdi; 2) Il progetto prevede un nuovo complesso residenziale lungo il fronte sud dell'isola, dando una nuova importanza a questo margine urbano e alla tradizione storica veneziana di ricevere i suoi ospiti dal mare; 3) La connessione acquea tra Venezia e la Giudecca, che porta alla definizione dell'impianto degli edifici residenziali e allo sviluppo della darsena.

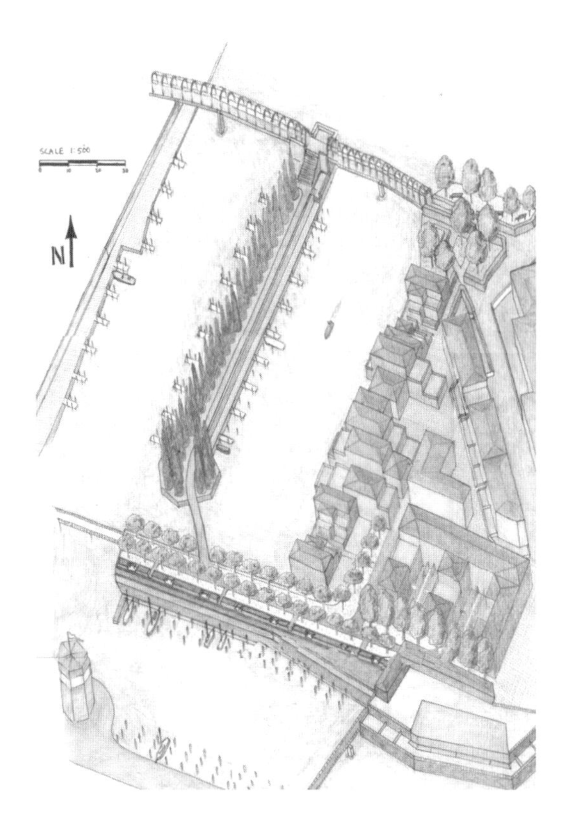

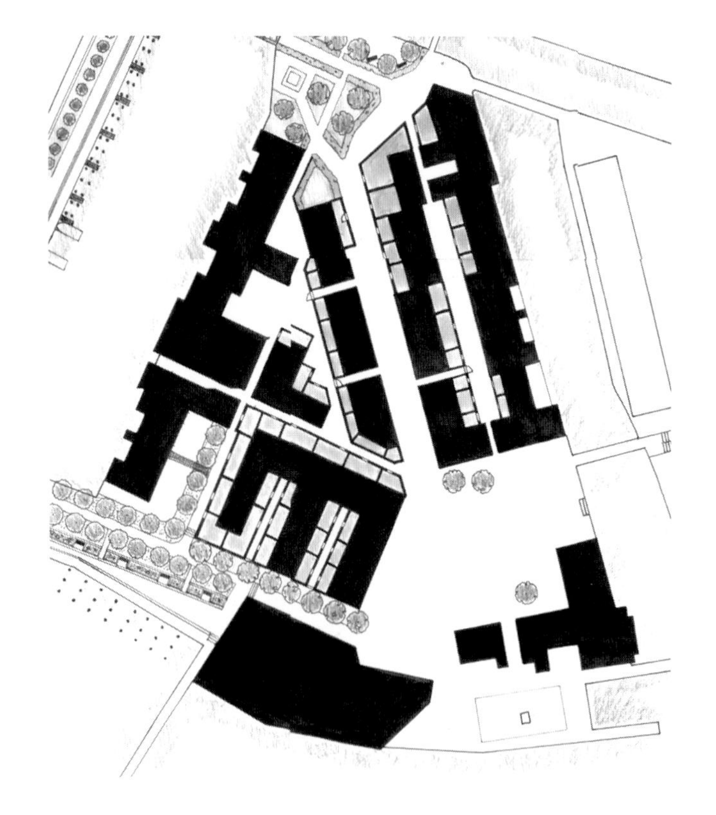

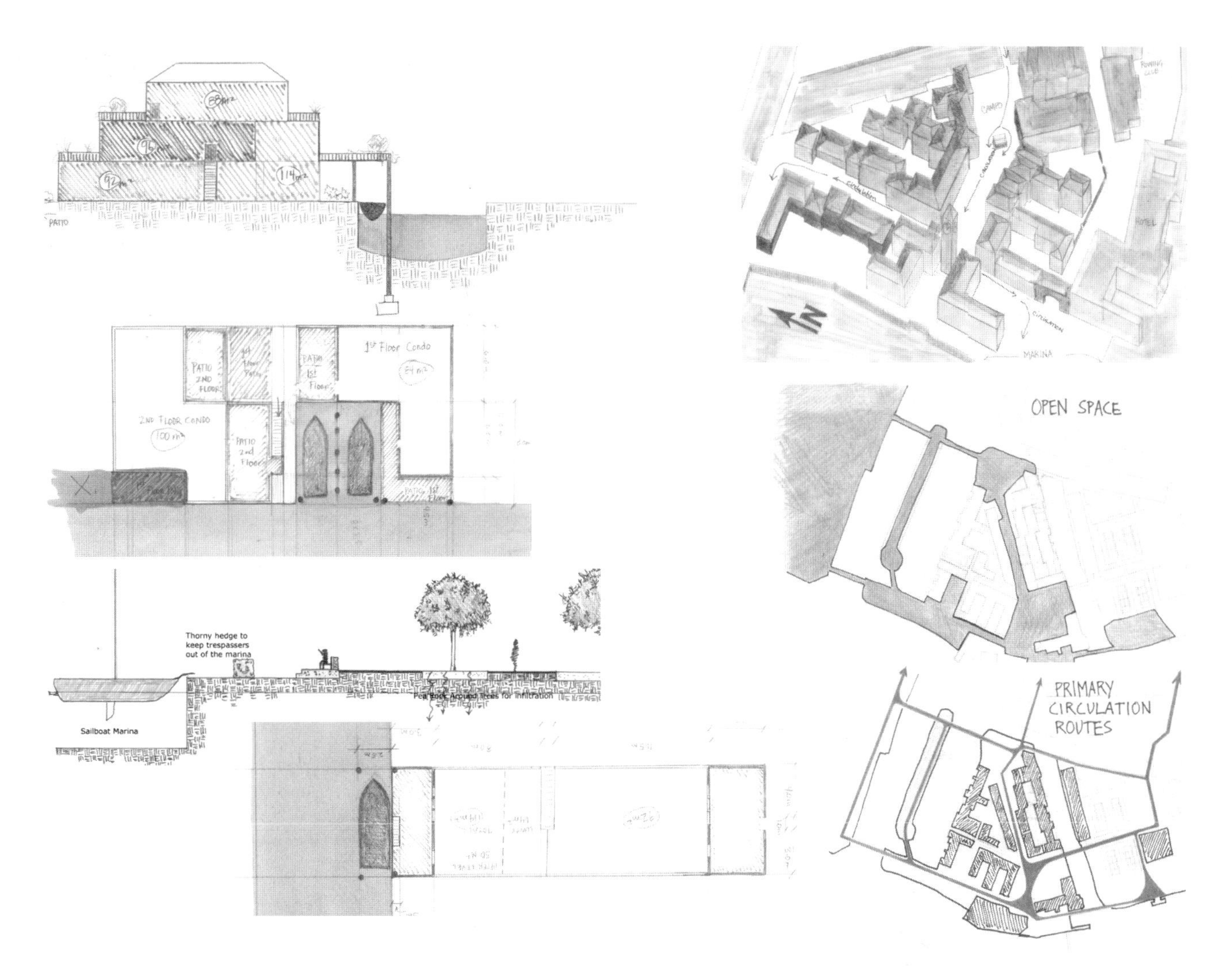

The master plan includes 136 terraced housing units, three marinas, two long promenade gardens with seating areas to view the lagoon, a "campo verde" and a central campo, and a commercial area along the southern edge of the island. The plan pays attention to the Giudecca urban fabric while drawing on two elements of Venetian urban fabric. An important element of the Giudecca is that its southern edge is currently a working edge, and historically it was agricultural. Another element is the spatial idea of compression followed by release. Horizontal compression as opposed to vertical compression is used to accentuate the horizontal line of the lagoon.

Three main design strategies outline this master plan: 1) the location of the island. The island is in an ideal location to act as a connector for the physical fitness activities of the neighboring islands, this lead to the development of circulation systems and green space. 2) Recognizing the Venetian history of receiving visitors from the water and the southern edge as a working edge, the plan develops new building typology along the southern edge. 3) The Venetian and Giudecca connections to water lead to the housing footprint situation and marina development.

Stacy Isaacson

Sacca San Biagio si trova nel fronte meridionale dell'isola della Giudecca e ciò garantisce un accesso visivo e spaziale alla laguna sud. Il sito si relaziona al paesaggio e al contesto veneziano incontrando le esigenze funzionali di una moderna edilizia residenziale. Vengono progettati vari percorsi e spazialità interessanti, originati da una riflessione sulle differenze e le similitudini tra Venezia e la Giudecca. Lo schema progettuale è caratterizzato da un asse centrale, con un ingresso e dei campi alle due estremità. Sul margine ovest si trova una darsena che dovrebbe alimentare le attività di questo fronte dell'isola. Sul fronte orientale si trova un edificio pubblico, che ospita una caffetteria e potrebbe accogliere una biblioteca. I percorsi e la configurazione delle aree verdi determinano le connessioni agli spazi aperti e alla laguna. Sono previsti vari portici e sottoportici per connettere gli spazi tra i vari edifici. Il parco è progettato per originare una fitta copertura con le piante, lasciando una maggiore libertà e spazi aperti al livello del suolo. I percorsi previsti sono minimamente invasivi, e conducono ad una radura che origina la percezione di distensione spaziale. In questo spazio, si trova inoltre un giardino fiorito, in cui vi sono varie panchine per il relax e lo svago.

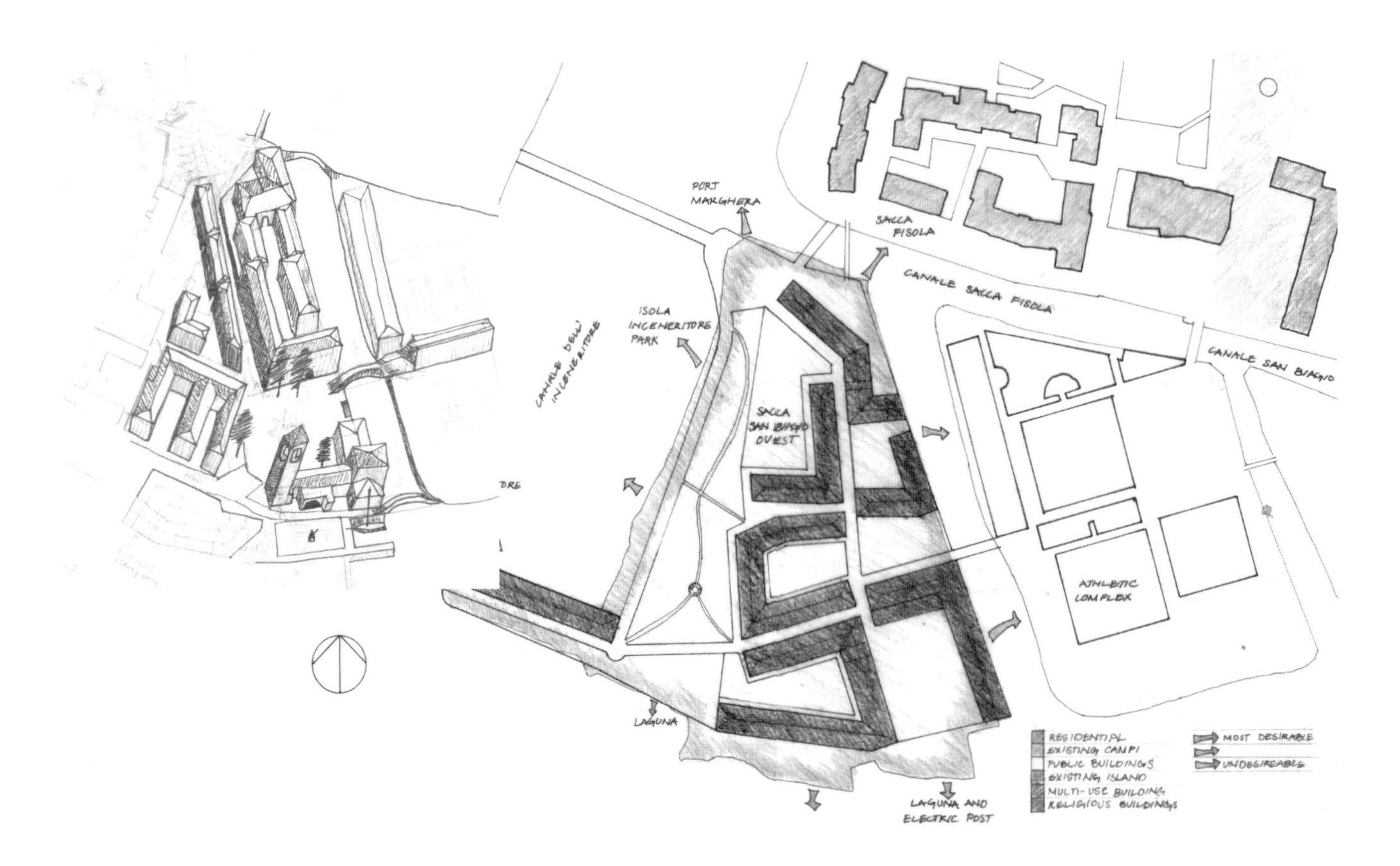

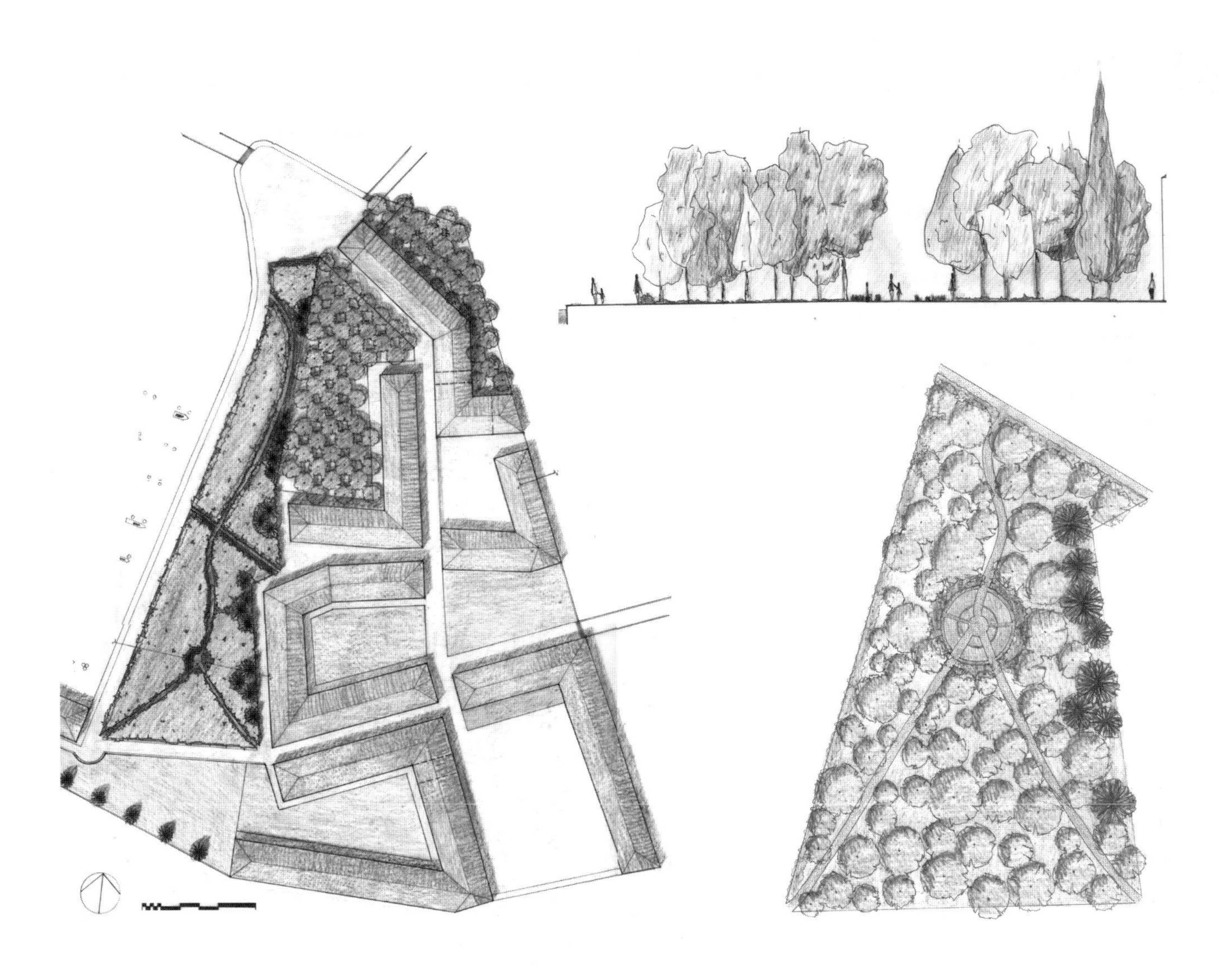

Sacca San Biagio has a southern view and accesses the lagoon from its location on the southern edge of the Giudecca. The site relates the landscape of the Giudecca and Venice to the needs and functions of modern housing. The differences and relationships between Giudecca and Venice were brought together to create a series of paths and spaces that are interesting to experience. A central axis dominated the scheme, with an entry and terminating campi at either end. A marina is located on the western edge, to create activity along this edge of the island. On the eastern edge, an institutional building houses a café or possibly a public library. Path and design of green areas make connections to the water and open space. The plan uses sotoportego and arcades to link to spaces through the buildings. The park was designed for a dense canopy of vegetation and groundcover, leaving the under story open. The paths through the park become subtler. An opening gives a sense of release from the enclosure. In this space, a flower garden with benches provides an area of repose.

Il progetto intende sfruttare i vari aspetti della collocazione del sito, proponendo una connessione tra il nuovo parco, proposto nell'isola dell'ex inceneritore, tra l'area dei servizi sportivi, Sacca Fisola e la Giudecca. Il flusso di persone che attraversano l'area di progetto incontra una serie di compressioni e distensioni spaziali; i percorsi giungono in spazi aperti sempre più ampli, terminando nell'ampio sistema della laguna. Una fontana pubblica ed una vasca determinano il nodo spaziale dal quale i vari percorsi si dirigono verso la laguna. Ogni edificio residenziale condivide uno spazio semi pubblico con il complesso adiacente. Gli alloggi si articolano in varie tipologie, per rispondere alle varie esigenze dell'utenza; le dimensioni variano dai 66 ai 110 metri quadrati. All'estremità sud del complesso residenziale si trova una caffetteria ed un ristorante con un tetto giardino e tavoli all'aperto.

Sul lato ovest dell'isola vi sono tre giardini che rappresentano l'astrazione sperimentale di tre elementi del paesaggio (cielo, acqua e terra) essendo la città di Venezia al centro degli elementi –tra cielo e terra- in una tensione e dipendenza continua con l'acqua, che al tempo stesso benedice e maledice la città. Il Giardino del Cielo si articola in un percorso lineare delimitato sui due lati da un ristretto prato e da una sorta di alte mura, formate da alti cipressi che richiamano l'esperienza del percorrere le strette calli della città. Il Giardino dell'Acqua è delimitato a nord e a sud dall'acqua che scorre su dei gradini. Nel Giardino della Terra si esce da una densa area alberata, per accedere ad un ampio percorso che si snoda attraverso piccoli rilievi del terreno.

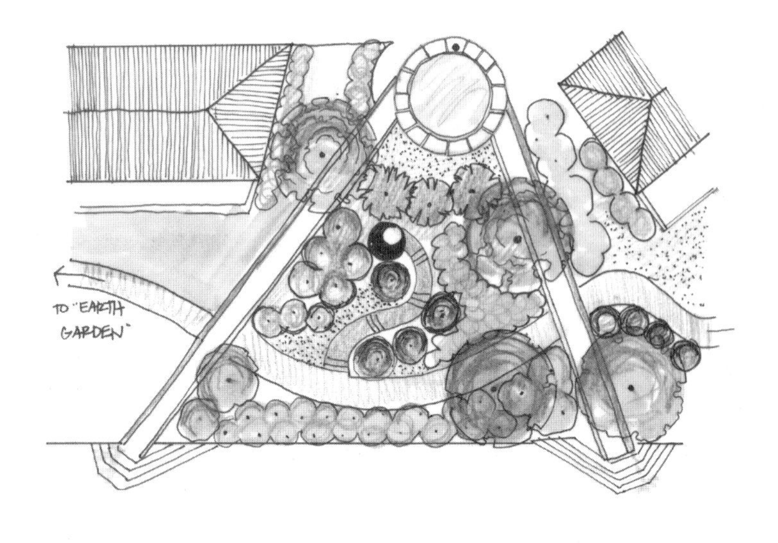

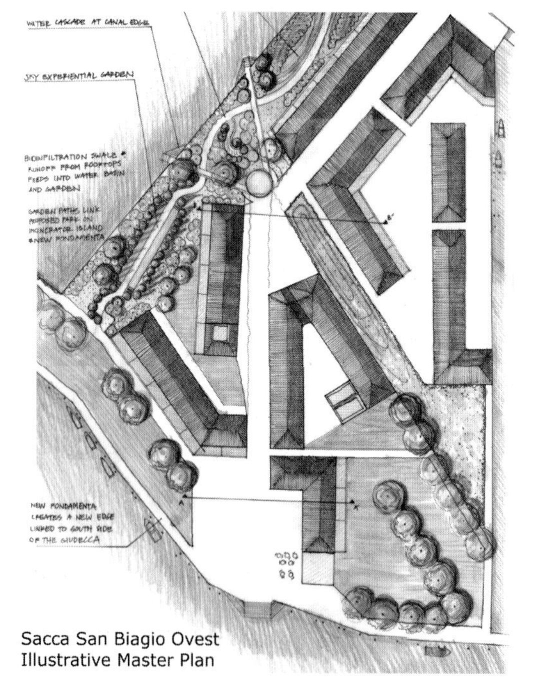

Sacca San Biagio Ovest
Illustrative Master Plan

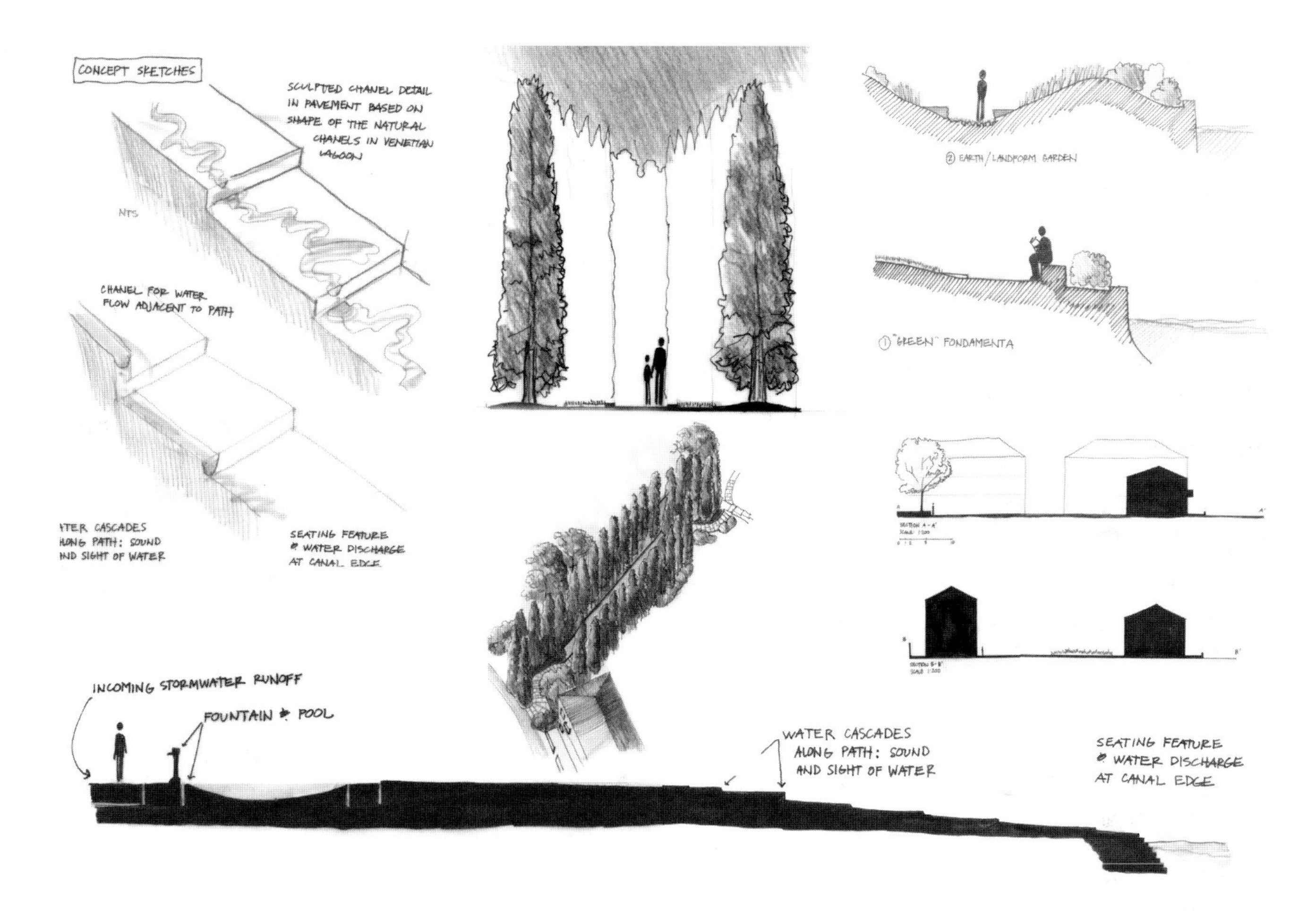

The project takes advantage of the island's location, forming a link between the proposed park on the Incinerator Island, recreation facilities, Sacca Fisola, and the Giudecca. Pedestrian movement through the development is a series of spatial compressions and releases, as pathways lead into larger open spaces, finally terminating in the largest open space in the system, the Lagoon itself. A public fountain and basin are the hinge point where the central path turns toward the lagoon. Each housing building shares a semi-public outdoor space with an adjacent building. The types of units vary to accommodate a diversity of residents and income levels. The sizes of individual units vary from 66 to 110 square meters. The only non-residential building is a cafe and restaurant on the southern end of the spine, with outdoor seating space outside and on the roof garden.

Three gardens at the western edge of the island are an abstraction of three experiential substances in the landscape (Sky, Water, and Earth) while the City of Venice is at center of the substances (between Sky and Earth) continually in tension with and dependent on the Water that has blessed and cursed the city. The Sky Garden is a liner path bounded by a long narrow lawn on both sides and walls of tall cypress trees for recalling the experience of traveling the narrow calle of the city. The Water Garden is bounded on north and south by water flowing across steps. In the Earth Garden, visitors are released from the density of the trees into an open, exposed pathway that cuts down into the ground between small hills.

Jennifer Johnson

Il primo atto progettuale è il nuovo allineamento del ponte esistente tra Sacca San Biagio e Sacca Fisola, per mantenere la continuità assiale della calle di edifici residenziali. Inoltre, una direttrice curva continua connette le due isole e il nuovo parco creato nel sito dell'ex inceneritore. Questi due ponti formano un piccolo campo di ingresso nell'angolo a nord est dell'isola. Da questo punto è definita la direttrice centrale dell'isola, curvando verso sud e lievemente ad est, per poi terminare verso la laguna con un'ampia terrazza che alla fine degrada nell'acqua.
Lungo tale asse principale, è molto evidente la compressione e distensione spaziale. Chi accede all'isola dal campo a nord dovrebbe percepire una sensazione di compressione spaziale; poi, raggiunto l'accesso al campo principale, tale percezione diminuisce e si aprono le visuali verso il canale e verso i vari accessi alla laguna. Gli edifici residenziali sono progettati con l'intento di creare dei piani di separazione lungo un asse unitario, per trasmettere una sensazione di individualità e privacy. Dato che molti edifici sono distribuiti lungo questa direttrice curva, si intende enfatizzare il senso di dinamicità senza progettare alcuna facciata curva.

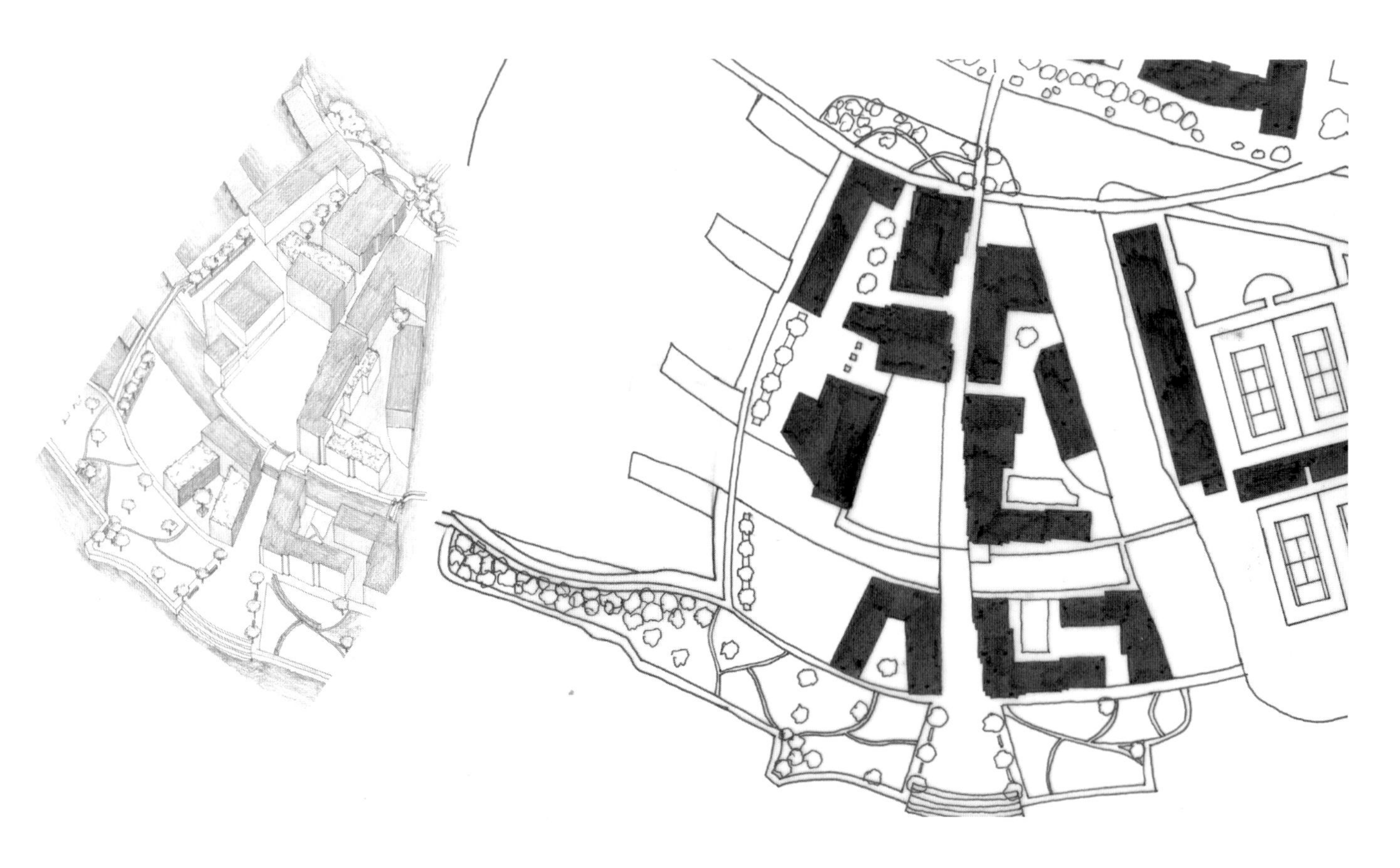

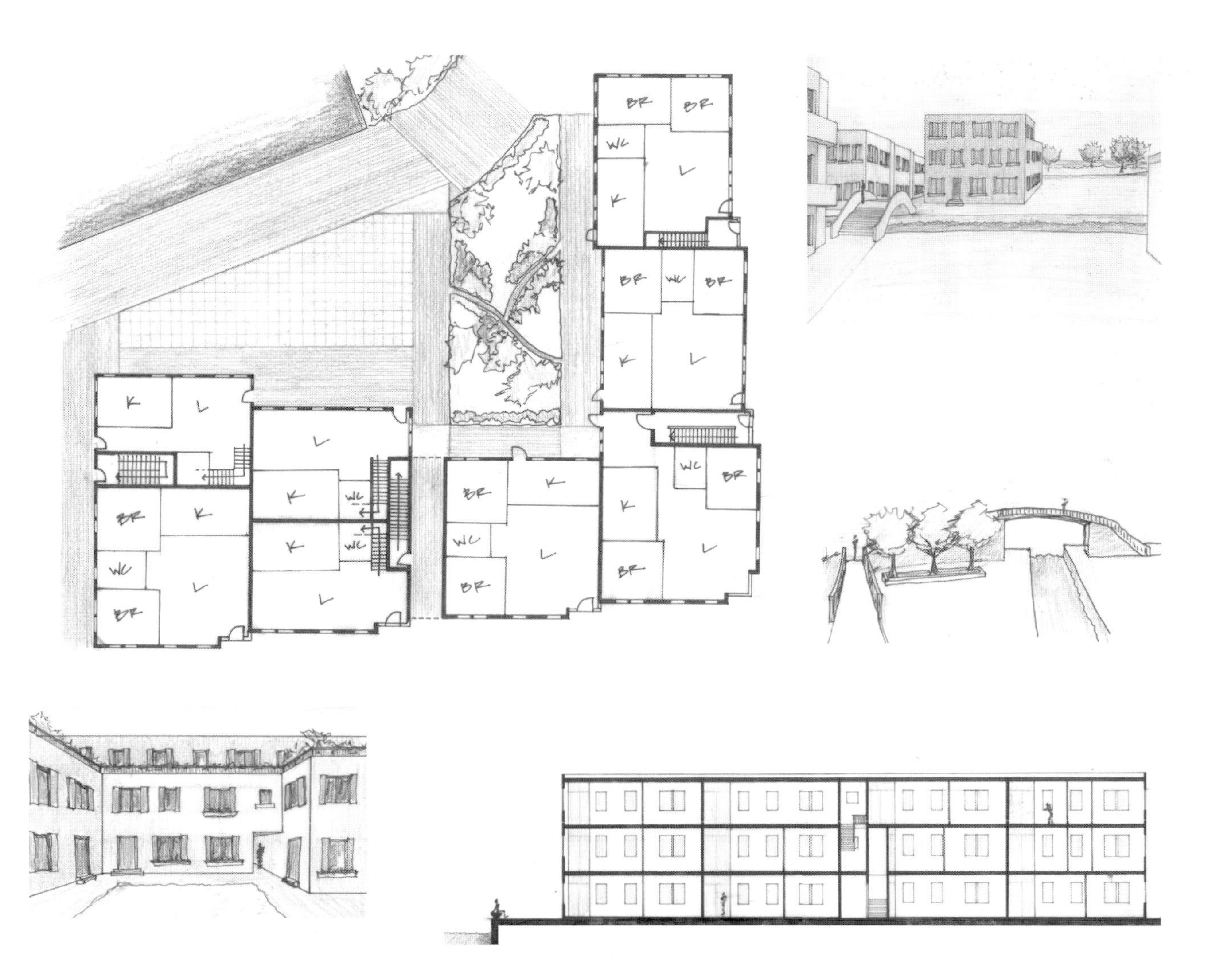

The first step of design approach was to realign the existing bridge to Sacca Fisola to continue the line of the existing residential calle. Then, a continuous curve connected the two islands and the newly created park area on the incinerator island. These two bridges make a small entry campo at the northeast corner. The central axis for the island is then drawn from this point, curving south and slightly east, finally terminating at the lagoon with a widened terrace that ultimately delves into the water.

The spatial compression and release is evident throughout the main axis. When one enters the island from the northern entry campo, they might feel slightly compressed. Once they reach the entry to the main campo, however, this compression is released and they have views over the canal and all the way out to the lagoon. The residential buildings were formed with the intention of breaking planes along unit lines to create a feeling of individuality. Since many of the buildings lie upon the curvilinear axis, the idea is to emphasize the movement without actually introducing a curved façade to the structure.

Elisa Keck

Il contesto di Sacca San Biagio Ovest offre l'opportunità di progettare degli edifici residenziali con viste magnifiche sulla laguna. Le piccole dimensioni dell'isola permettono di gestire al meglio le varie viste e di garantire l'accesso diretto all'acqua ad un ampio numero di residenti. L'elemento chiave del progetto è la disposizione seriale attraverso l'isola e la prosecuzione a sud verso il margine meridionale, dando accesso alle migliori viste dell'area. Attraversato il ponte di Sacca Fisola, si è attratti verso il percorso principale e si dirige a sud attraverso tutta l'isola. I lati ad est e ad ovest del campo hanno un'angolazione verso l'esterno, preannunciando le viste future. Attraversando il campo e scendendo lungo una serie di terrazzamenti gradinati si accede ad uno spazio di verde pubblico. Un altro tema progettuale è la creazione di piccoli nuclei privati all'interno dell'intero complesso residenziale. In questi blocchi residenziali ci sono delle corti e degli spazi privati dai quali i residenti avranno accesso alle loro unità individuali, sentendosi a loro agio nel poter crescere le loro piante, curare il loro giardino o stendere il bucato. Un terzo elemento è la separazione dalle aree dell'isola dell'ex inceneritore. L'ampliamento della fondamenta lungo il lato ovest di Sacca San Biagio permette di piantare una fila di cipressi che creerà una barriera visiva accentuando il senso di distacco.

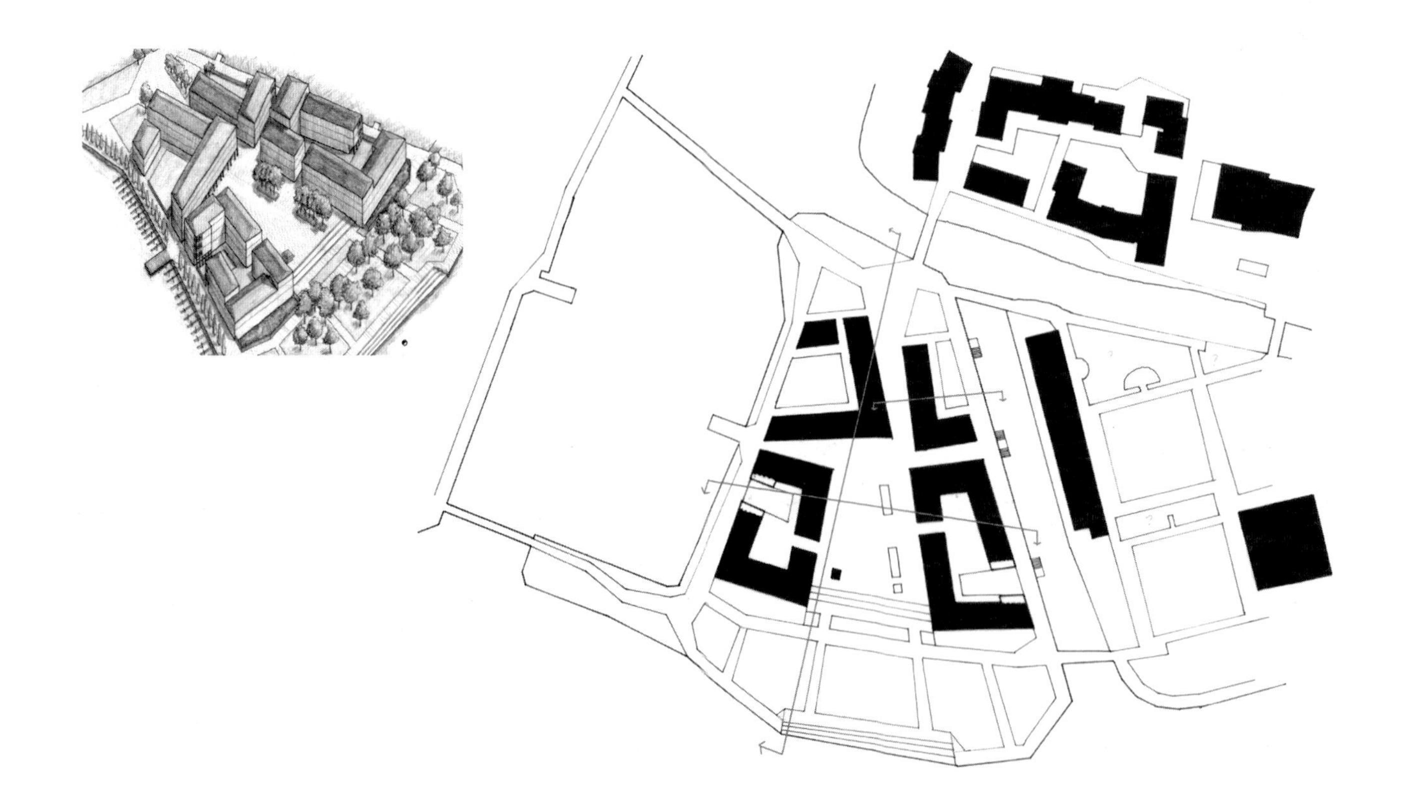

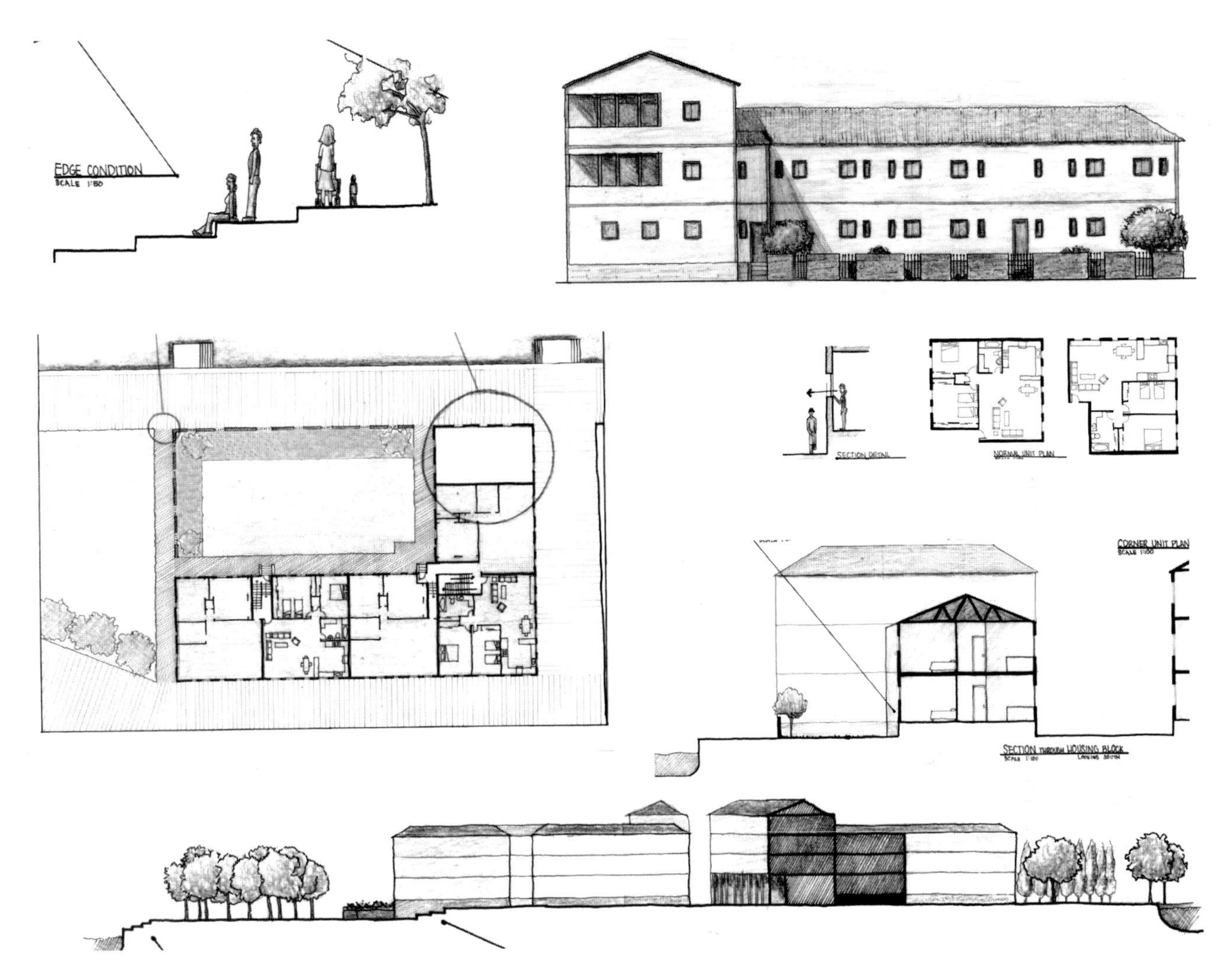

The island of Sacca San Biagio West offers an opportunity to a housing development with amazing views into the lagoon. The small size of the island helps maximize the views, increasing the chance for more residents to have water access.

The main focus of the project was to place a procession through the island and down to the south end to access the prime views of that area. As one crosses the bridge from Sacca Fisola, there is a pull to the central path moving south through the island. The east and west faces of the campo angle outwards giving hint of the views to come. After moving through the campo and down a series of terrace-like stairs, one is in the open public green space. Another focus of the project was to create the feeling of small, more privatized communities within the structure of the whole. Within these blocks are Corte, or private courtyard spaces from which residents would access their individual units, and within which residents would feel comfortable maintaining their own potted plants and garden space, along with hanging their laundry.

A third issue of the project is seclusion from the areas of Incinerator Island. The widening of the fondamenta on the west side of Sacca San Biagio West in order to make room for a row of cypress trees to create a visual barrier would create a sense of separation.

Amy Keller

Il progetto vuole unire l'architettura ed il paesaggio attraverso il verde e gli edifici.
L'isola di Sacca San Biagio può divenire un luogo molto esclusivo per vivere. Il piano proposto prevede all'incirca cento unità abitative con spazi verdi pubblici e privati. Il progetto include una darsena ed uno squero, un centro civico, una caffetteria ed un grande campo per delle attività collettive.
Diffondendo gli elementi del verde dal nuovo parco urbano nel contesto più rigido del campo, si potrà fondare il dialogo tra architettura e paesaggio. La darsena e lo squero di Sacca San Biagio permetteranno una maggior protezione dalle attività, dalla vista e dagli odori provenienti dalle imbarcazioni per la raccolta dei rifiuti. Un canale delimita il lato est di Sacca San Biagio, permettendo l'approdo alle imbarcazioni per il mercato che servirà tutta l'isola.

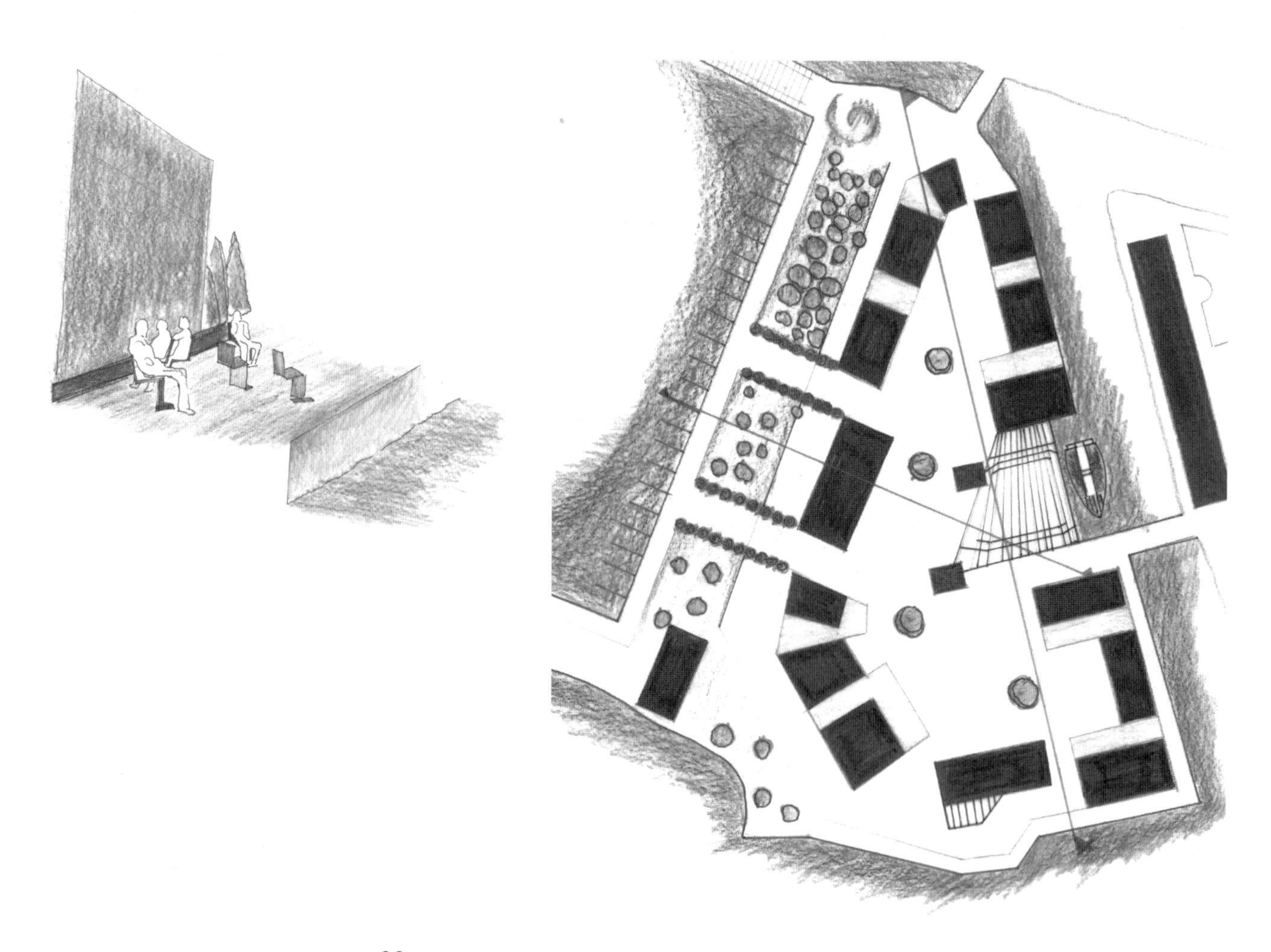

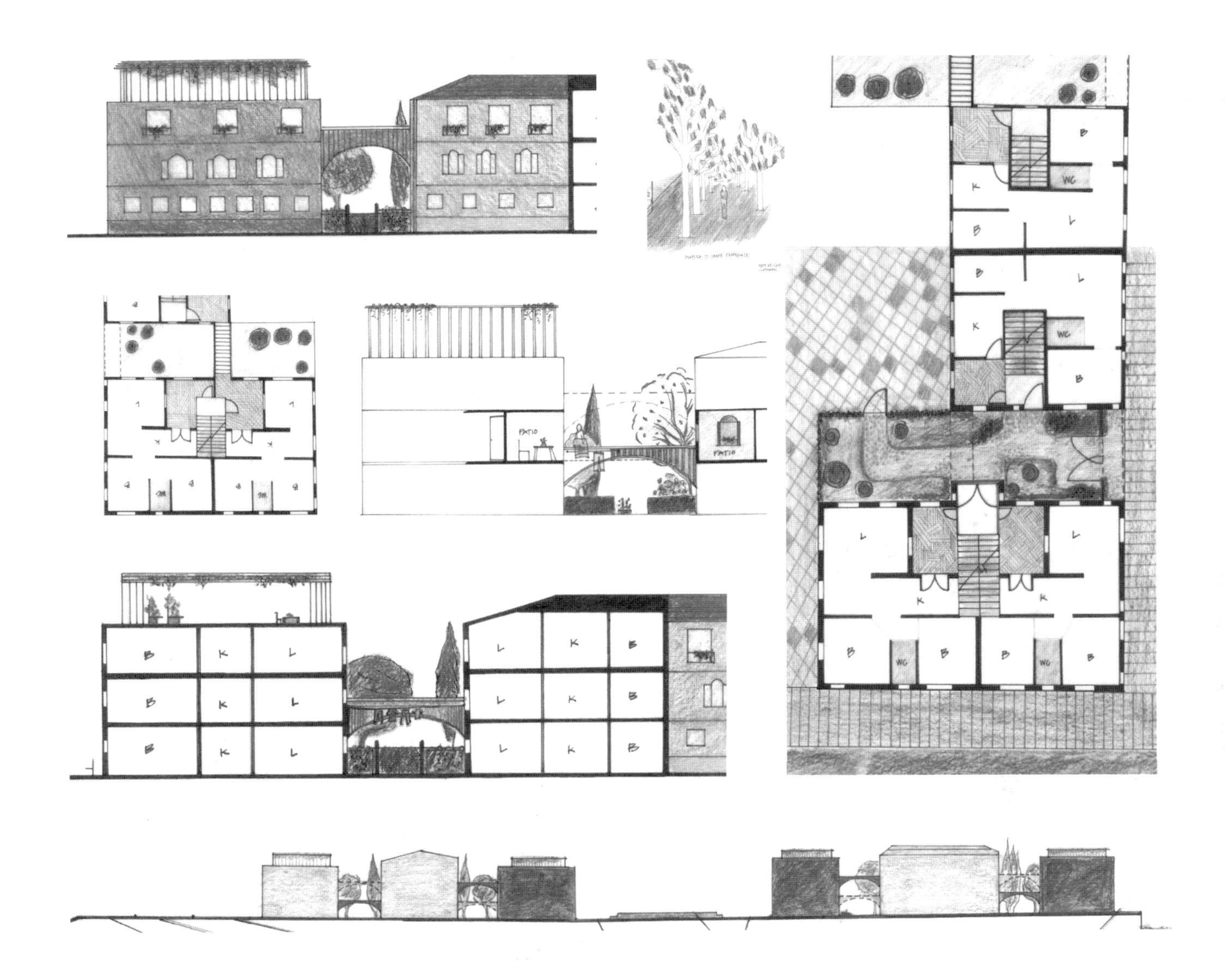

Bridging Landscape and Architecture through Garden and Building

The island of Sacca San Biagio Ovest has the potential to become a highly sought after place to live. The proposed master plan of Sacca San Biagio Ovest incorporates approximately one hundred dwelling units with public and private green space. The master plan also includes a marina and squero, a community center and cafe, and a large campo for centralized activity.

Blurring the green landscape from the new urban green park into the hardscape of the campo can help set up a dialogue between landscape and architecture. A marina and squero on the western edge of Sacca San Biagio Ovest would allow for the activity of garbage boats to be shielded by new smells, sounds, and sights of the marina. A working canal bounds the eastern edge of Sacca San Biagio Ovest where boat markets can dock in the center of the campo to service the island.

Il piano mira a molteplici obiettivi, sviluppando un progetto appropriato al contesto, ma introducendo al contempo degli aspetti innovativi. E' importante prevedere nell'isola un chiaro asse distributivo, che sarà utilizzato come direttrice principale di circolazione, connettendo il fronte nord e quello sud, sia fisicamente che visivamente. Viene inoltre definita una gerarchia di spazi pubblici, che articolerà vari livelli e possibilità di interazione sociale.

Alcune porzioni degli edifici residenziali includono delle corti semi private, che generano dei contesti più intimi garantendo uno spazio comune per le famiglie ed i bambini. Lo spazio di transizione tra gli edifici e queste corti private è definito da patii privati, che sono delimitati da un muro al piano terra ed includono una terrazza al livello superiore. Un portico separa gli spazi pubblici da quelli privati, mentre la pavimentazione ed i materiali definiscono le varie aree nel campo. Sotto le aree porticate si aprono degli spazi adibiti ad ufficio, degli esercizi commerciali e degli appartamenti. Nel lato nord-est del campo è previsto un centro civico, per dare ai residenti la possibilità di una maggior interazione sociale e di sviluppare il senso di identità collettiva. Le facciate pubbliche sul campo principale e quelle lungo i maggiori assi distributivi sono realizzate in mattoni riciclati ed in pietra, riprendendo alcuni aspetti formali delle pratiche edilizie tradizionali. Nella tradizione costruttiva veneziana, infatti, vi era spesso una facciata pubblica più formale; dunque, si vuol trasmettere ai residenti una maggior vicinanza alle tradizioni e la loro storia. Al contrario, le altre facciate sono più informali e libere, realizzate in materiali più leggeri e con maggiori aperture.

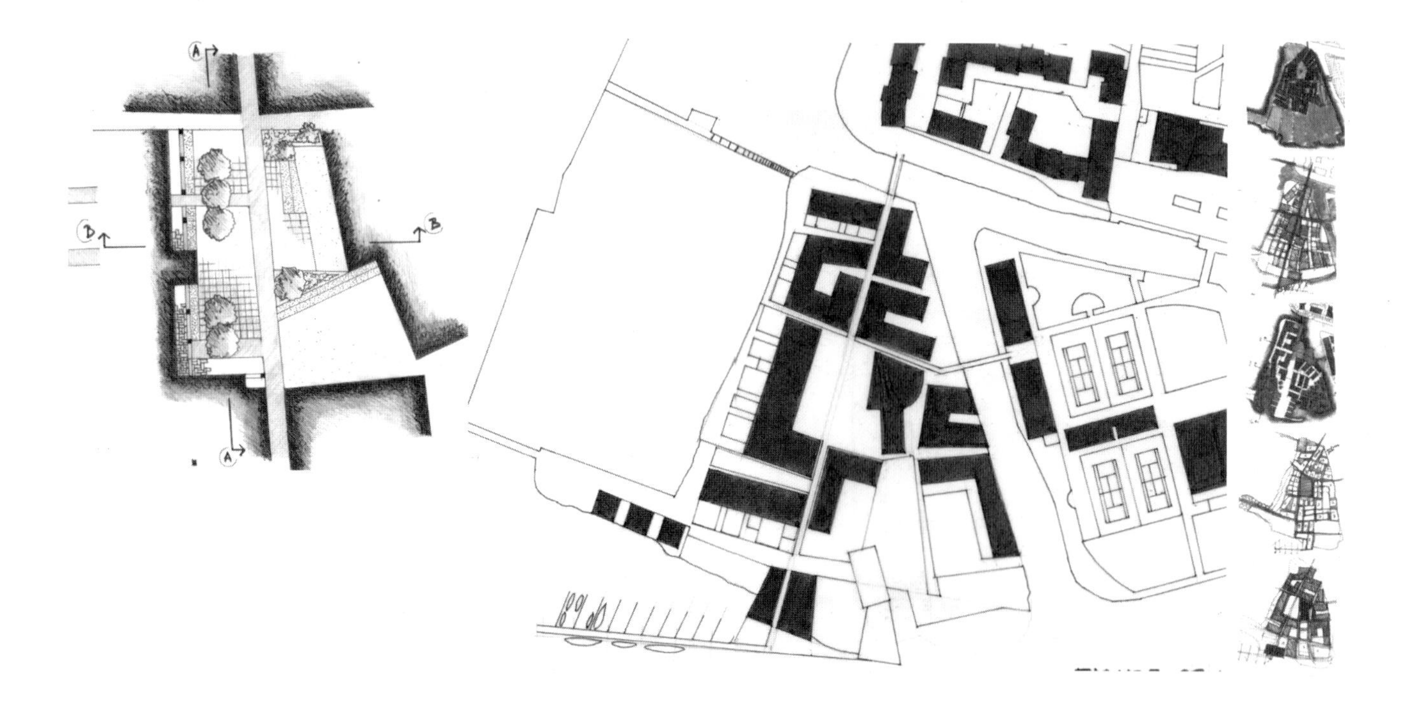

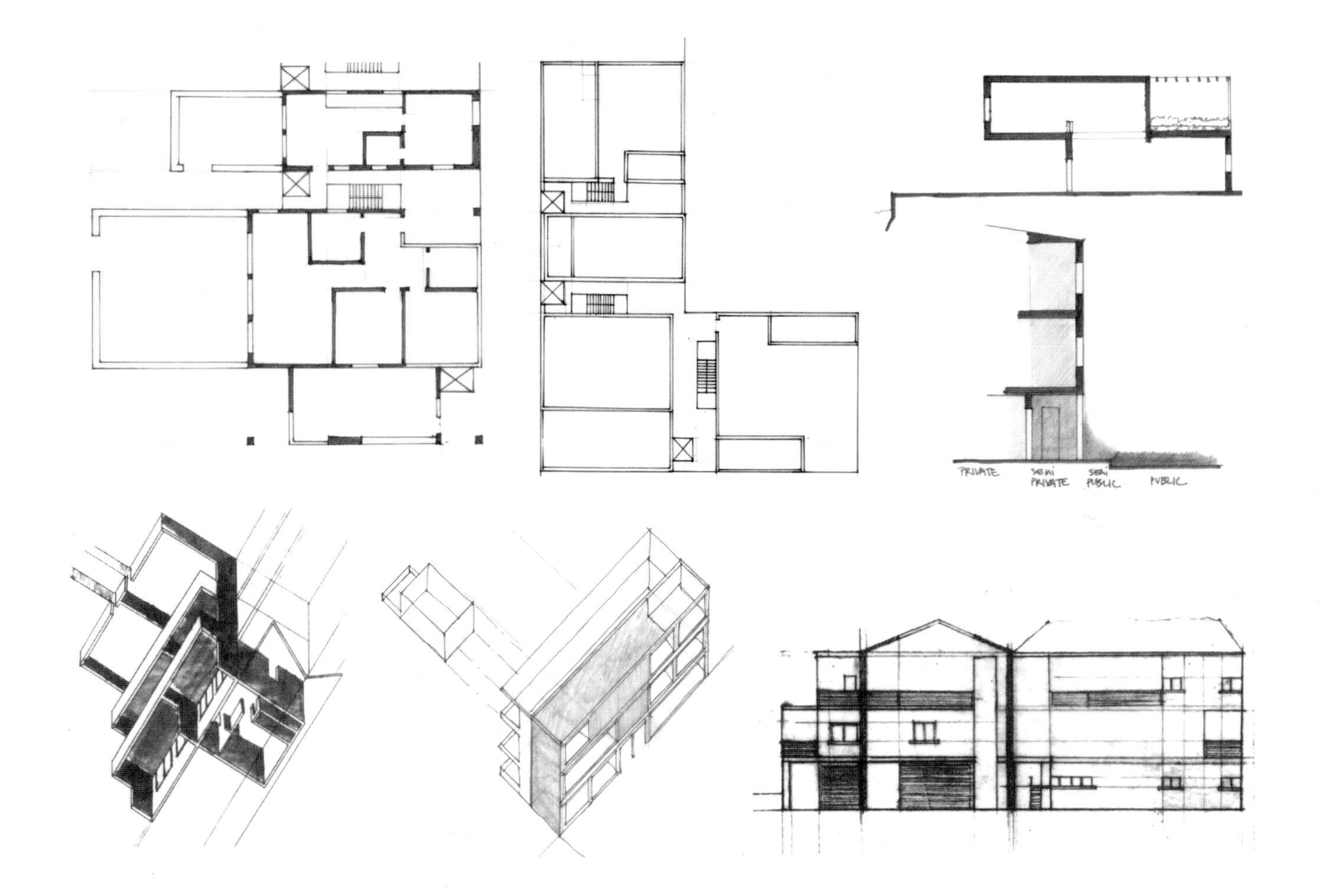

The master plan emerged from multiple objectives to achieve a plan for the island that would be both appropriate and innovative within its current context. It is important to provide a clear spine for the island that would act as the main circulation axis connecting north and south, physically and visually. It also defines a hierarchy of public spaces that would promote different types of interaction and opportunities for social activities.

Clusters of buildings with semi-private courtyard gives residents a more intimate setting, and families and kids a common space. The transitional space between the buildings and these common courtyards consists of walled private patios in the ground level, and terraces in the stories above. An arcade separates public and private, and paving patterns and materials define areas within the campo. Office spaces, storefronts and apartment units all open to the arcades and a civil building in the northeast edge of the campo creates further opportunities for residents to interact and develop a common identity.

The public façades on the main campo as well as those along the main axes are constructed of recycled brick and stone, evoking a tradition of formality when relating to the public realm. A more formal public façade is common in the Venetian tradition; therefore, it provides the residents with a connection to history and their past. The back façades of the buildings, on the other hand, are more informal and playful, with lighter materials, and more transparent and open.

James Lindborg

Il progetto si propone di attirare alla Giudecca dei residenti di classe media ed età differenti. L'isola di Sacca San Biagio è relativamente piccola, e consente dunque da varie ubicazioni un accesso diretto all'acqua. Al centro dell'isola l'asse principale si apre in un campo, oltre al quale, al di sotto di due sottoporteghi, è possibile vedere la laguna. Dal sottoportelo posto sulla sinistra dell'asse principale è possibile vedere la laguna attraverso una fila d'alberi, mentre da quello sulla destra è possibile avere una visuale diretta. L'edificio residenziale nel quale sono inclusi i due sottoporteghi, diviene il portale d'accesso al campo principale, posto sul margine meridionale dell'isola. Il campo termina verso la laguna con dei gradini che discendono nell'acqua, ampliandosi sul lato orientale formando una darsena, che sarà un punto interessante ed una fonte di reddito. Gli edifici lungo il fronte ovest di Sacca San Biagio potrebbero ospitare degli alloggi per utenti con tempi di permanenza brevi, o per i turisti che potrebbero ormeggiare la loro barca lungo la darsena. Gli edifici sul lato est dell'isola hanno accesso diretto a dei piccoli approdi. Nell'angolo sud ovest dell'isola, dove si può godere una vista magnifica, è progettato un giardino pubblico con alberi per l'ombreggiamento e varie sedute.

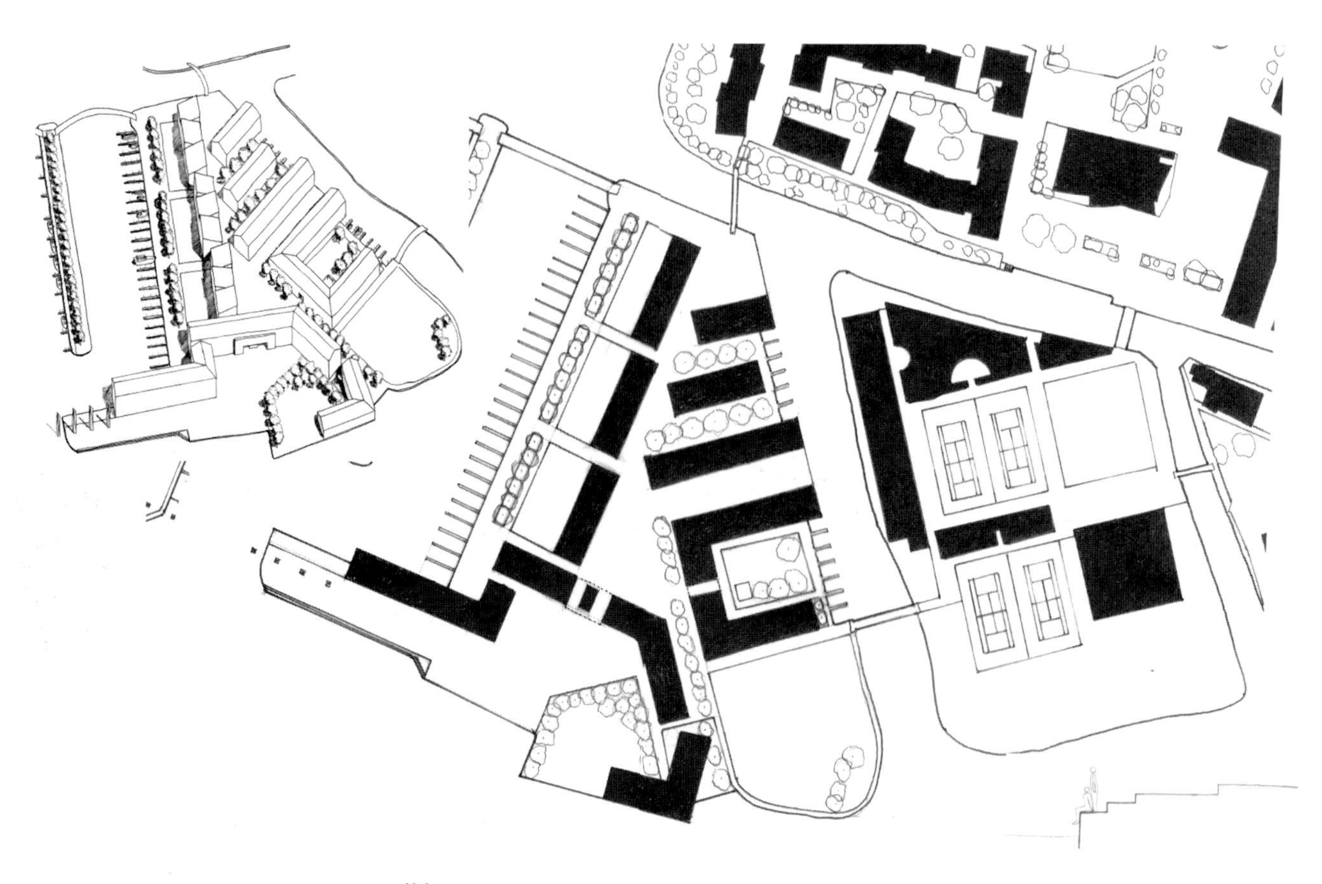

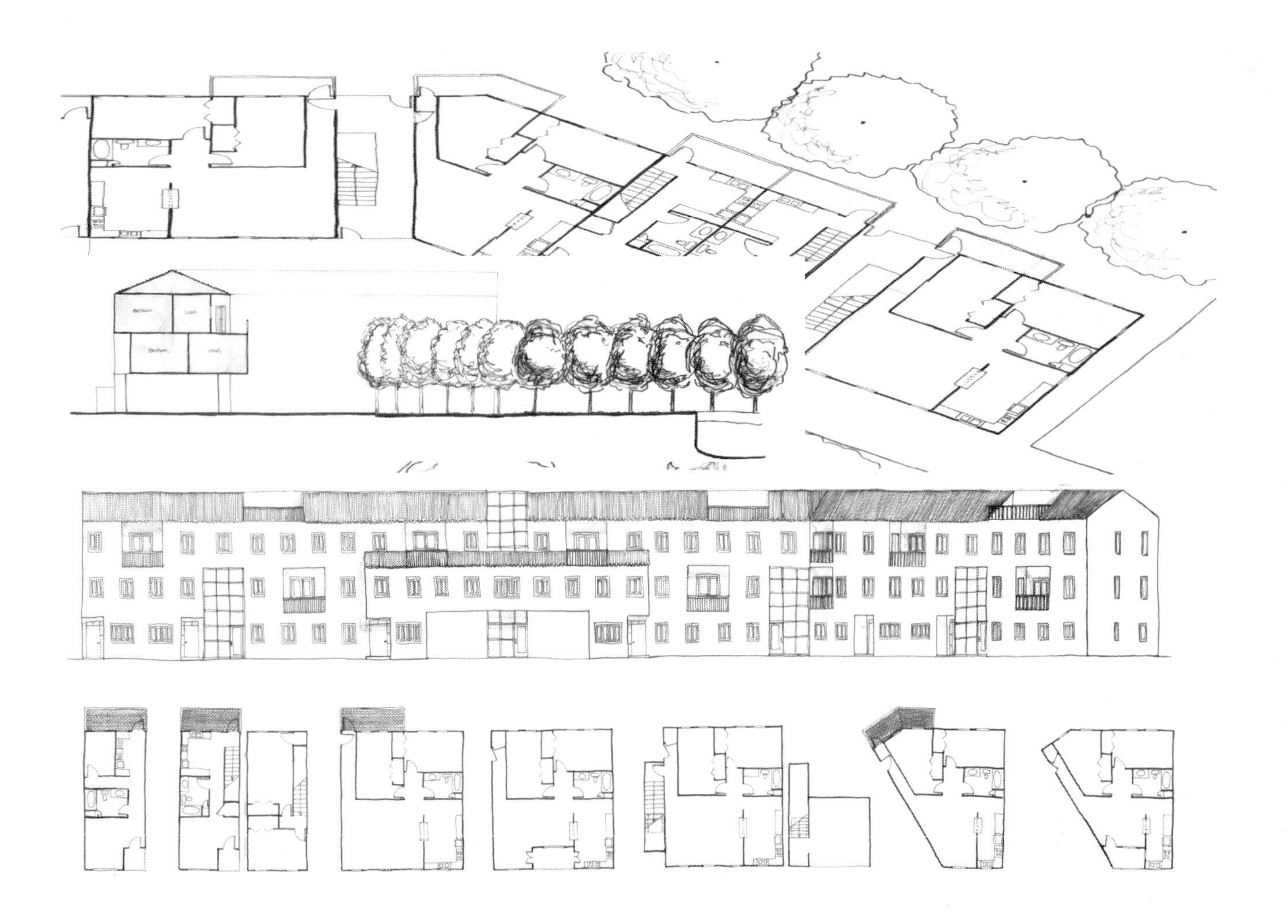

The goal of the master plan is to attract a middle class population of mixed age to the Giudecca. The relatively small size of Sacca San Biagio allows easy access to water from everywhere on the island. At the center of the island, the spine opens into a campo. From this campo there is a view straight out from the main spine, through two sotoportego, to the lagoon. The sotoportego to the left offers a view of the lagoon filtered by a line of trees. The sotoportego to the right offers an unobstructed view of the lagoon. The apartment building that these two sotoportego penetrate becomes a gateway to the main campo on the southern edge of the island.

The campo gestures to the lagoon with steps leading down to the water. The steps also extend the campo to the west where the campo functions as a gateway for the marina. The marina could be a local amenity to the island as well as a possible source of revenue. The buildings along the west side of Sacca San Biagio could possibly contain some apartment units that are for short-term lease for visitors to Venice who dock their boats at the marina. The buildings on the east side of the island also have direct access to smaller docks located there. On the southwest comer of the island, which has the most desirable view, is public green space. This space has some shade trees and benches for quietly enjoying the beautiful view.

Il processo progettuale è articolato in due fasi: la prima è la comprensione delle caratteristiche della città di Venezia e più specificatamente dell'isola della Giudecca; la seconda è il tentativo di comprendere i vari temi veneziani, reinterpretandoli nel progetto per l'area di Sacca San Biagio Ovest.
La Giudecca era formata da un gruppo di isole che accoglievano vari orti e coltivazioni, e dunque il progetto riprende questo tema in particolare lungo il margine ovest di Sacca San Biagio. In quest'area, un insieme di alberature allineate e dei piccoli promontori longitudinali riprendono il movimento delle onde della laguna. Il fogliame, i profumi e la collocazione stessa di queste piante darà origine ad un contesto interessante, mascherando al contempo l'isola retrostante dell'ex inceneritore.
Il progetto cerca di generare un contesto piacevole per risiedere nell'isola, riprendendo molti aspetti di Venezia ed integrandosi nel sistema delle isole veneziane. La tecnica principale è la compressione spaziale attraverso delle strette calli e la successiva dilatazione in ampli campi. Da questo importante concetto è definita la forma della calle, che determina la collocazione e l'articolazione di molti edifici del progetto.

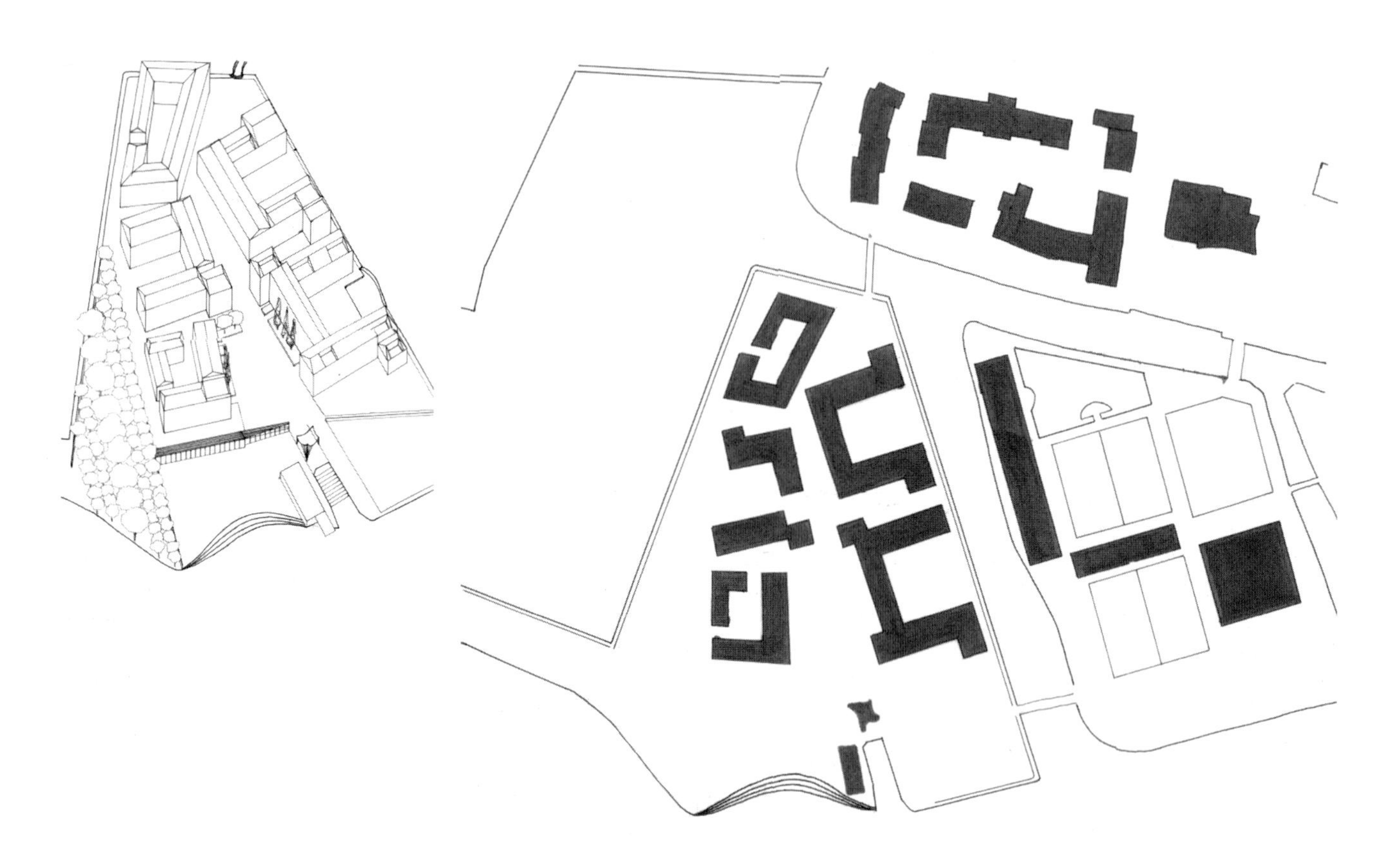

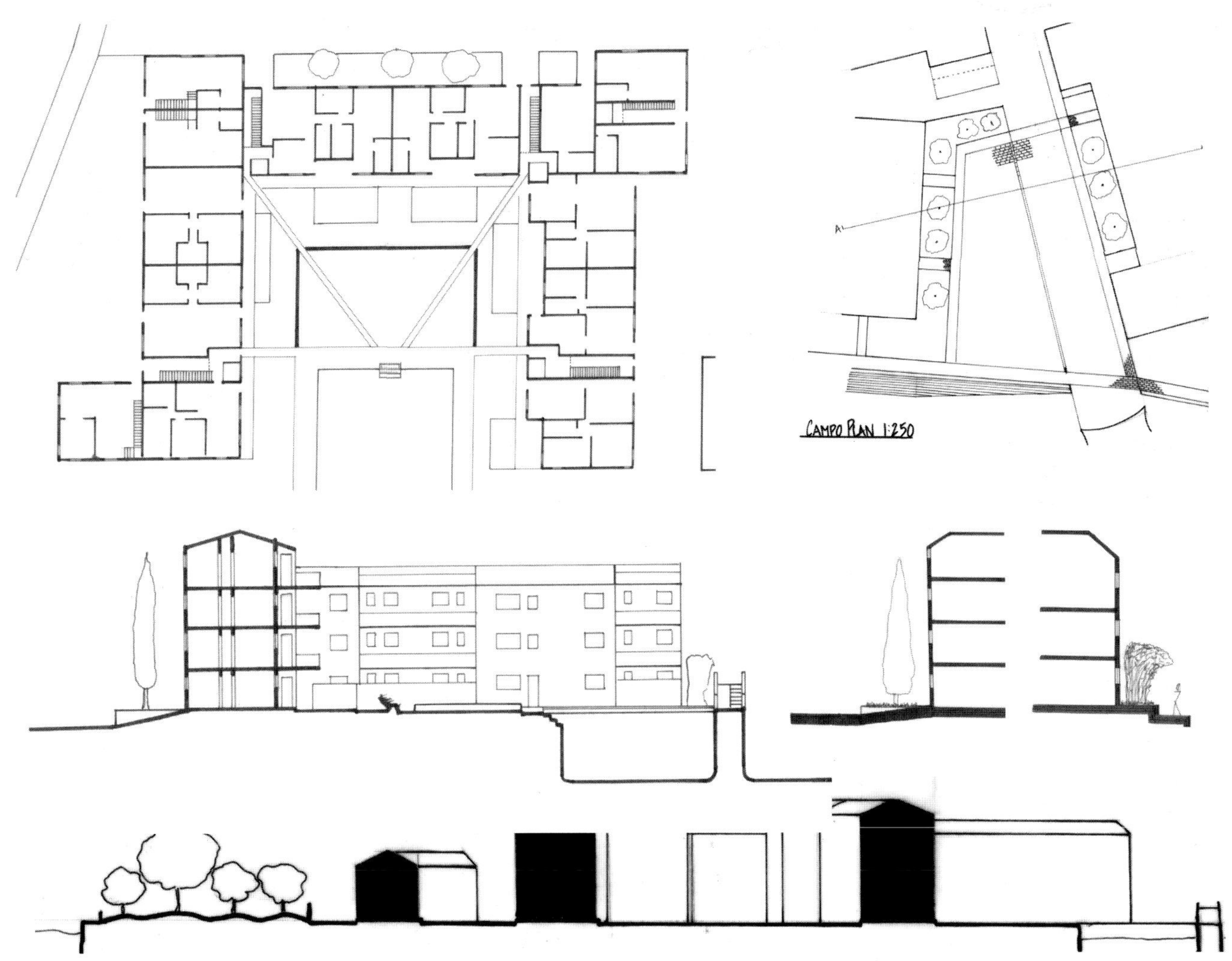

The goal for this design project was twofold. The first step involved learning and understanding the specific characteristics that form the city of Venice and more specifically the island of the Giudecca. Secondly, I attempted to take this knowledge and reinterpret the characteristics of Venice and the Giudecca in a design project on the "soon-to-be" vacant island of Sacca San Biagio West.

Since the Giudecca was traditionally a soft edged group of islands used for farming and orchards, I added an interpretation of this history on the western edge of Sacca San Biagio West. In this area, a grove of trees set in rows along longitudinal bums mimics the waves of the lagoon. The foliage, fragrance, and position of these trees will attempt to mask Incinerator Island and create an interesting place.

The form of the master plan has attempted to create a desirable island for living. It uses many of the characteristic aspects of Venice within its design in order to assert its position as an island of Venice. A major technique used is the compression through narrow openings and release into open campi. This idea drove the form of the calle, which determined the placement and position of many of the buildings in the plan.

Courtney Skybak

Come accade in molte insule veneziane, il piano si articola lungo un asse centrale nord-sud, dal quale dipartono a spina di pesce i vari percorsi distributivi, intervallati da degli spazi verdi. Un secondo asse divide Sacca San Biagio ovest da est ad ovest, attraversando il campo centrale che è il nucleo sociale dell'isola. Il progetto prevede 138 unità abitative: 88 alloggi e 50 appartamenti. A sud del secondo asse distributivo vi sono gli appartamenti con vista sulla laguna. Ad est dell'asse principale le residenze sono articolate attorno a cinque campi che si affacciano sul canale. Il campo è orientato da est ad ovest, lungo 60 e largo 25 metri. Gli edifici attorno al campo sono alti tre piani, tranne il centro civico sul fronte ovest (due piani) e l'area dello squero (un piano), che apre il campo verso la laguna sul fronte sud. Lungo il muro a nord del campo, al primo piano, si trova un ristorante.
Lungo il margine ovest dell'isola è progettato un "muro verde" di alte conifere, che agisce come una barriera ai rumori e alla vista degli adiacenti servizi per la raccolta dei rifiuti. Lungo il fronte acqueo è prevista una lunga copertura che ripara 22 imbarcazioni e sul cui tetto è previsto un percorso pedonabile. Vi sono inoltre degli ulteriori ormeggi scoperti lungo il margine nord ed est dell'isola. Nello spazio tra il "muro verde" e gli appartamenti, si articolano quattro giardini connessi da un percorso in pietra. Un altro tema importante è il riutilizzo dell'acqua piovana: il livello di terreno più alto è pensato al centro dell'isola, così che l'acqua venga diretta ai margini esterni. Le aree verdi servono per l'assorbimento delle acque e anche le aree verdi contengono sotto la pavimentazione dei collettori per le acque. Nei giardini sono previste delle piante che possano adattarsi all'abbondanza di piogge come pure a condizioni di media siccità. Vi sono poi varie cisterne poste nelle terrazze e nei giardini privati, che raccolgono le acque meteoriche e le impiegano per l'irrigazione.

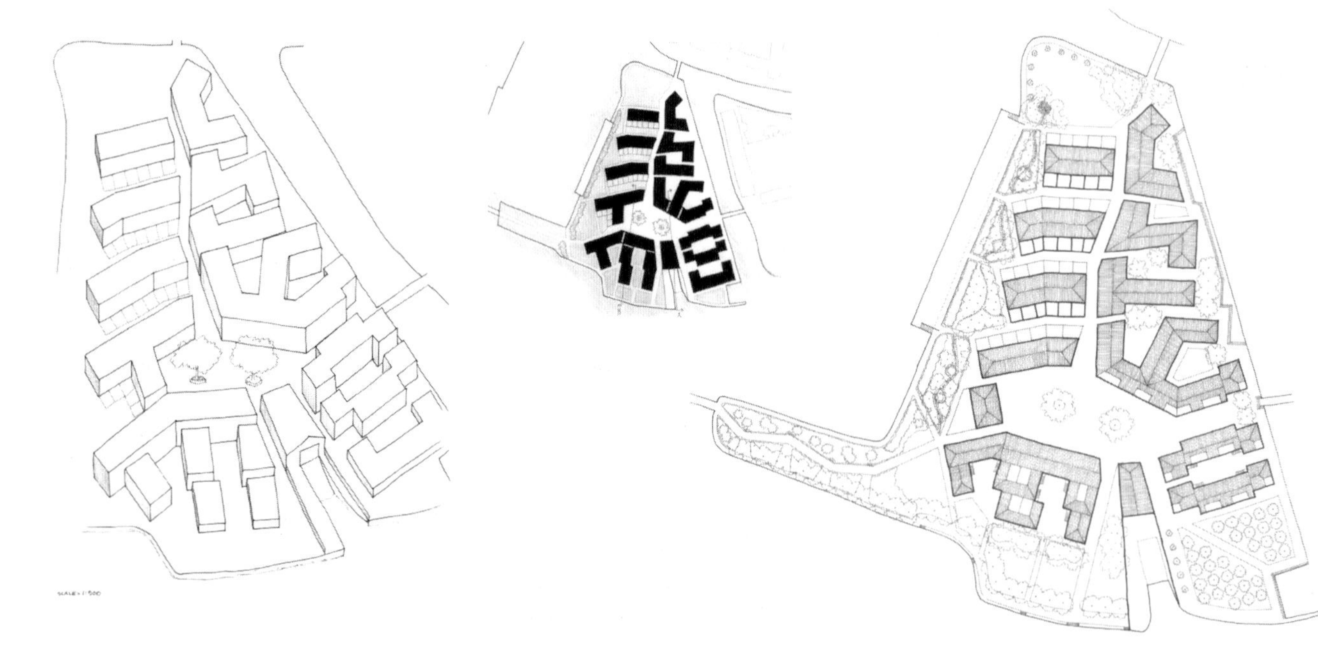

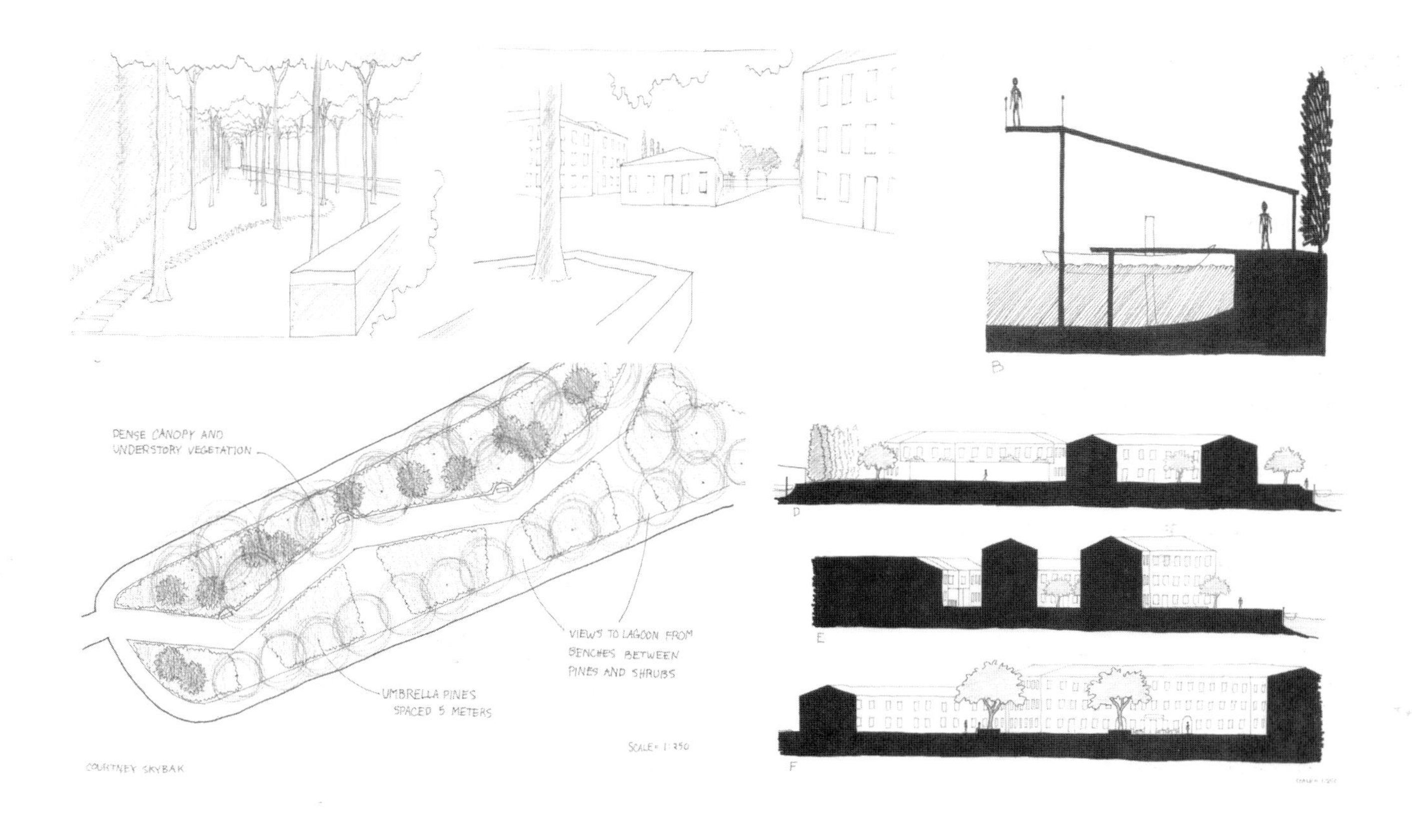

The island's master plan structure is patterned after many Venetian islands, with a north-south central spine and a fishbone pattern of streets, framed by green spaces at the edges. A second axis crosses the island from east to west, cutting through the campo, which is the social center of the island.

The plan contains 138 housing units. Eighty-eight of these are flats, and 50 are two-story apartments. South of the secondary east-west axis are the lagoon-view flats. East of the main spine of the island, housing is arranged around five courtyards facing the canal.

The campo has an east to west orientation, roughly 60 meters long and 25 meters wide. Buildings surrounding the campo are three stories high, with the exception of the squero and community center. The squero on the south side of the campo is only one story high, opening the campo to the lagoon. The community center at the campo's western edge is two stories high. The northern wall of the campo, across from the squero, holds a restaurant on the first floor.

The western edge of the island is planted with a "green wall" of densely planted columnar conifers, a buffer against undesirable views and sounds from the adjacent waste facility. At the water's edge, a long boathouse accommodates 22 boats, and features a pedestrian boardwalk on its roof. Uncovered boat parking is also found at the northern and eastern edges of the island. The space between the green wall and garden apartments has a series of four gardens connected by a winding stepping-stone path.

Stormwater management is also an important consideration in the design. The elevation is highest at center of island, and water drains toward the edges. The garden spaces are also for infiltration, and four courtyards contain infiltration beds under the paving. The rain-gardens feature floodplain vegetation that can handle flooding in the spring and dry conditions during most of the year. Gray water cisterns on terraces and in the private walled gardens store rainwater for irrigation.

Venezia è racchiusa da dei confini acquei, ma i veneziani sfruttano il sistema delle acque intendendolo un elemento di connessione e non di separazione. Il progetto intende coinvolgere l'osservatore in varie esperienze e attraverso molteplici connessioni visive. Vi è una costante interazione con l'acqua, che avviene attraverso dei contesti mutevoli: gli edifici, gli spazi verdi ed i percorsi pedonali. Queste esperienze visive metteranno l'osservatore in contatto con l'acqua, quale elemento più importante di Venezia. Il progetto di residenze a Sacca San Biagio ovest prevede sia degli edifici bassi che alti, con una diminuzione progressiva della densità edilizia verso il margine meridionale dell'isola. I vari tipi di alloggi si adatteranno ai differenti stili di vita dei veneziani. Sulle facciate a sud e ad ovest vi sono degli elementi per l'ombreggiamento. L'orientamento degli edifici definisce le viste sull'acqua e sugli altri punti focali del sito.

Il progetto prevede due campi abbastanza ampli; il principale dei quali, di forma quadrata, si trova al centro dell'isola, con i lati definiti da una successione di scalinate, caffetterie e residenze. Vi è poi una vasca triangolare al centro dell'isola, che riprende il tema del pozzo tradizionalmente posto dei campi veneziani.

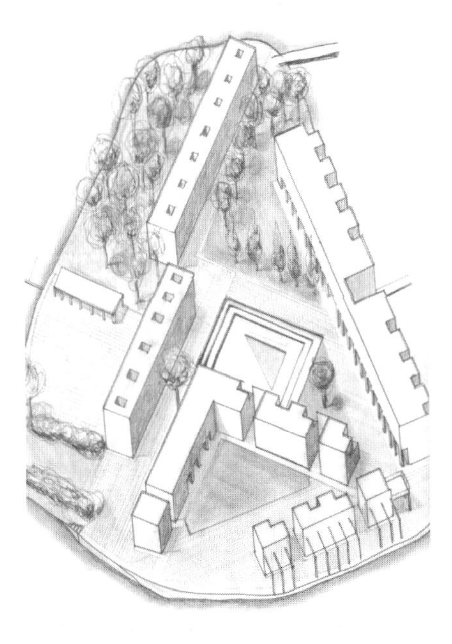

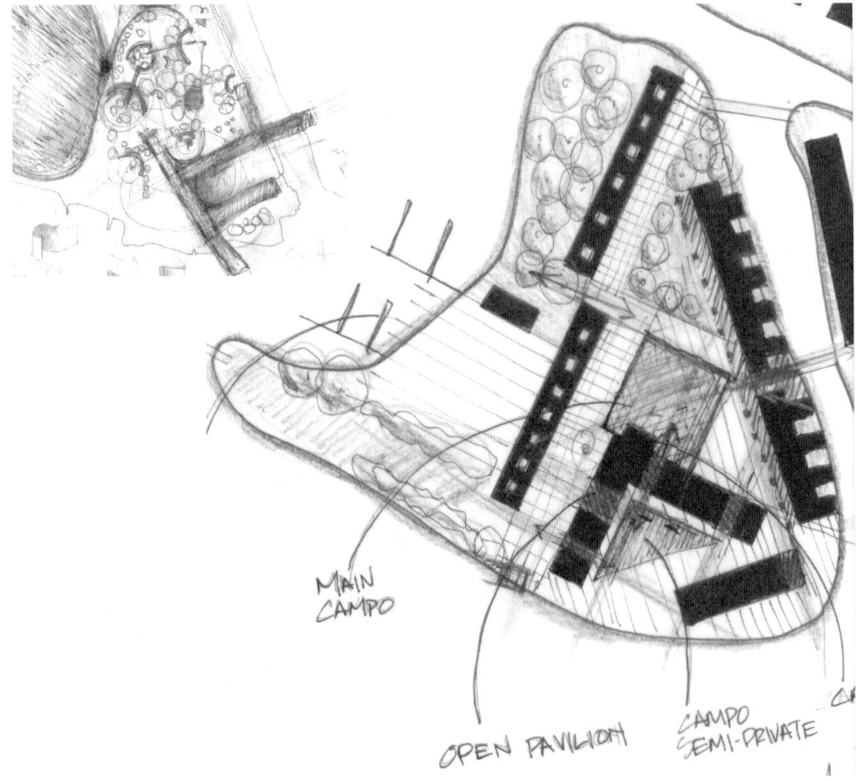

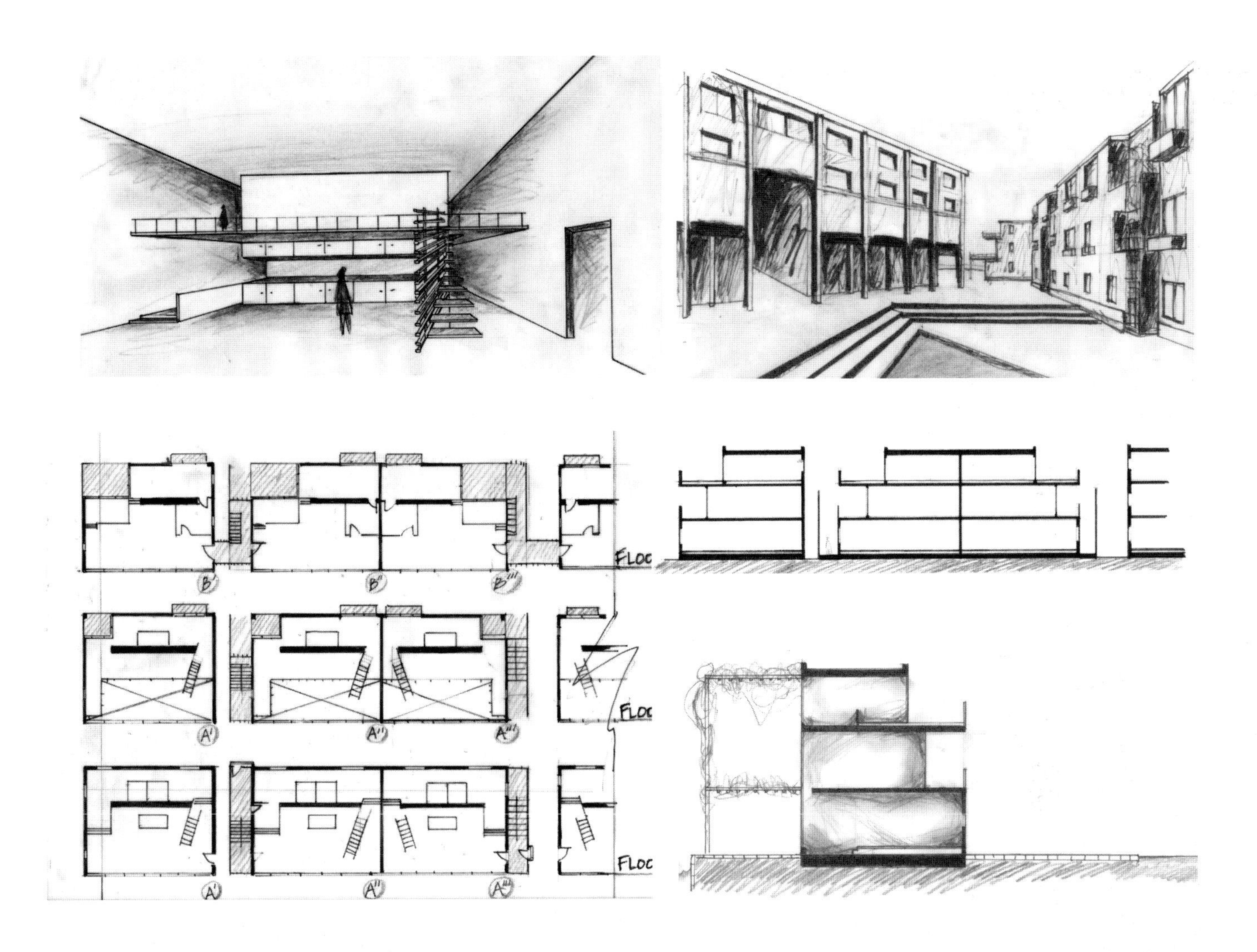

Venice is a city enclosed by boundaries. A duality occurs as Venetians use the boundary of the water as a connector instead of a divider. Through various types of connections with the water, the design engages the viewer in a variety of experiences. A constant interaction with the water is through different conditions of buildings, green pace, and pedestrian paths. These different experiences will constantly connect the viewer to the most important element of Venice, the water.

Housing for Sacca San Biagio West Island includes low to high-end units and move from high to low density southward. The various types of dwelling units are to follow the diversity of Venetian living. Shading devices add to the south and western facades of buildings. The orientation and position of the buildings establish views out to the water and other key places on the site.

The design proposal contains two rather large campi on the site. The main compo is located at the center of the island. Its square geometry distinguishes it as a place of significance. Its edges are defined by a recession of stairs, café, and housing block. A triangular pool was added to donate the center of the island and to refer to the Venetian style of campo with a well.

Christopher Stark

L'elemento fondante per questo progetto è la frammentazione delle viste presente nel contesto veneziano. Camminando a Venezia l'osservatore incontra inaspettate visuali ed è sorpreso ad ogni luogo. Alcune viste sono ampie ed estese, altre corte e compresse. Ma in tutti i casi, la visuale è controllata. L'articolazione degli edifici intende garantire a tutti i residenti una bella vista. Di conseguenza, i corpi di fabbrica sono stretti e le unità abitative si incentrano attorno ai campi interni o alle vie d'acqua laterali. Gli spazi verdi si estendono verso i blocchi residenziali da nord. Il centro dell'isola è definito dal campo principale, che è elevato rispetto alla quota del contesto. In tal modo, si intende riprendere il concetto della genesi compositiva di Venezia, considerando il cambio di quota come il simbolo e l'inizio di un cambiamento in atto.

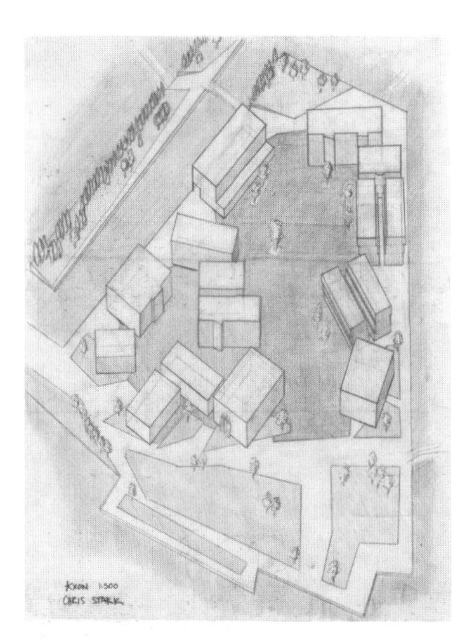

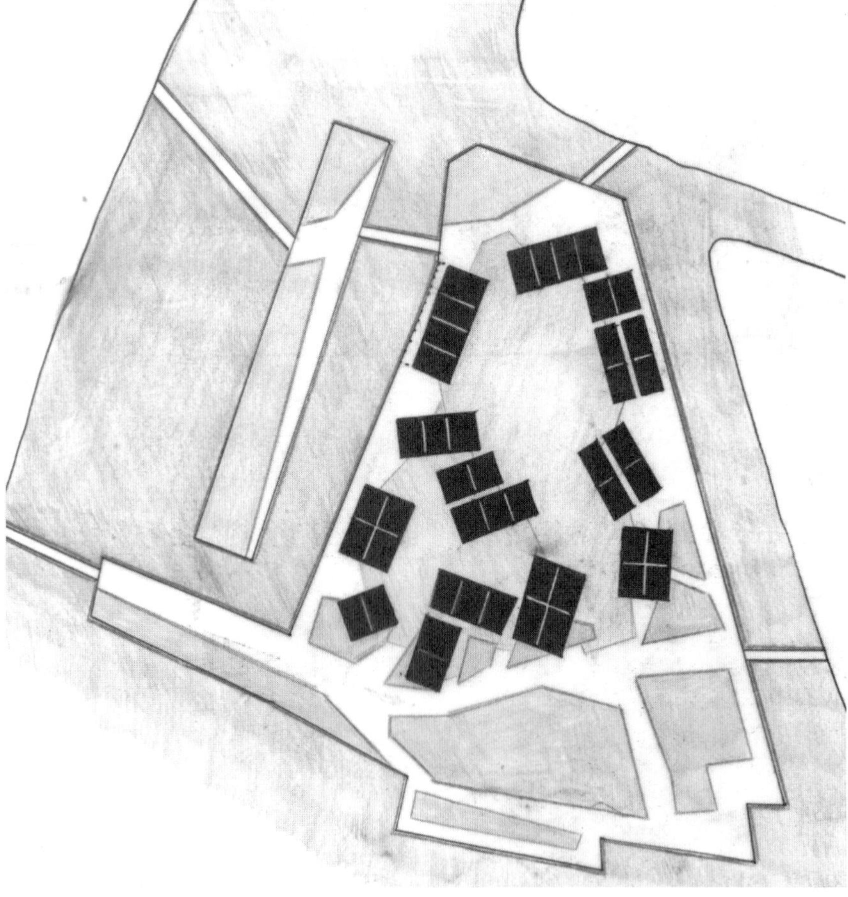

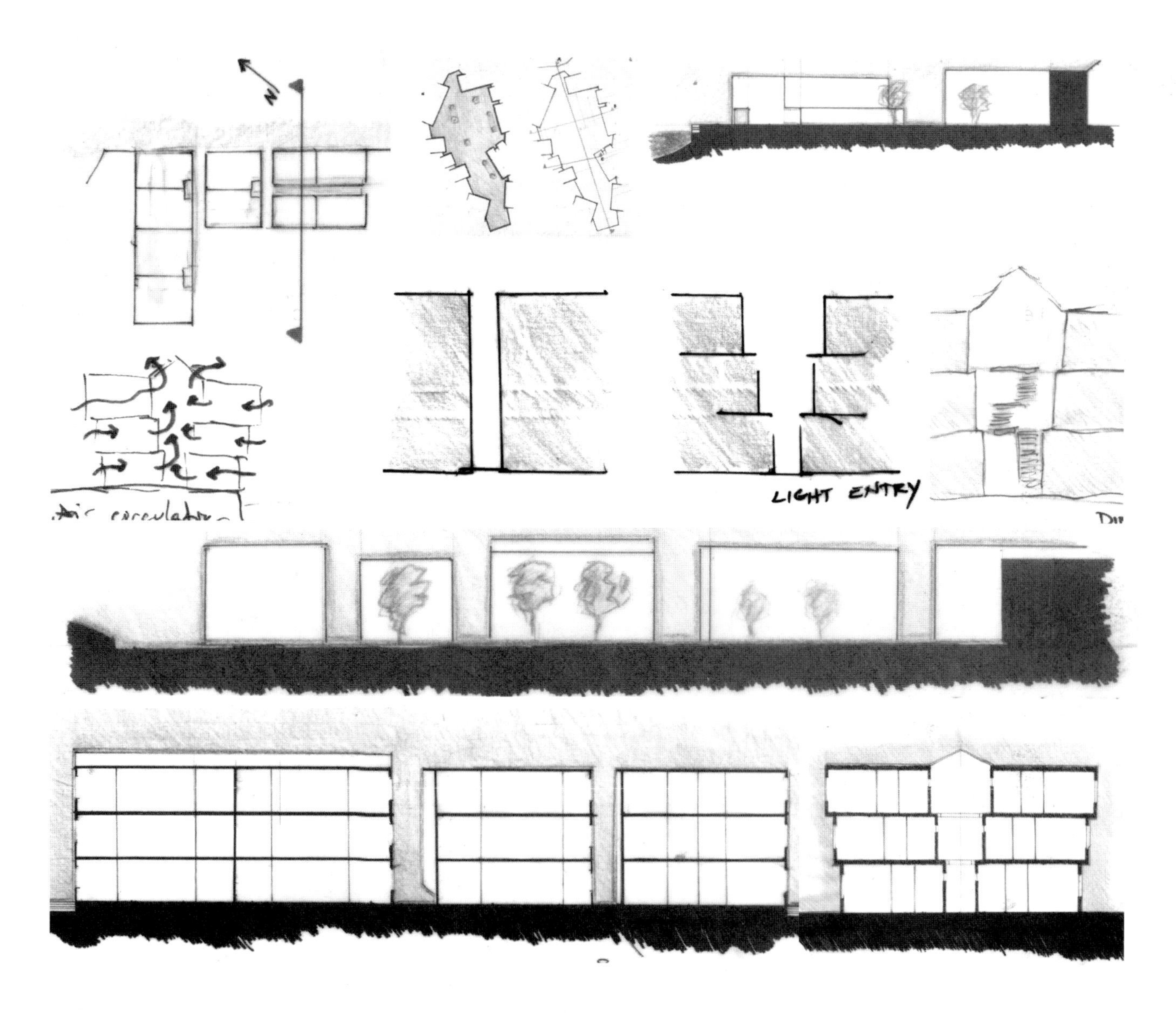

The primary quality of the Venetian landscape that drove this design is the arrangement and framing of views. A walk through Venice reveals unexpected sights and surprises a visitor around every corner. Some views are wide and expansive while others are constricted and short. In each case, however, the view is controlled.
The organization of the buildings provides each resident with a desirable view. Consequently, the buildings are narrow and the units have a focus on the island's interior campi or bordering waterways. The green space extends northward to the residential buildings; however, the center of the island is the primary campo. The main campo is slightly elevated above the rest of the island. This small accent up to the campo is a reference to the composition of Venice and the symbolic quality that a change in elevation symbolizes the beginning of a change in place.

In tutto il contesto dell'isola si potrà vedere l'interazione della vegetazione con l'interno e l'esterno degli edifici. Come parte della Giudecca, Sacca San Biagio ha l'opportunità di mantenere uno spazio verde. Si propone una cintura verde lungo i margini sud ed ovest dell'isola, come elemento di connessione tra il parco di futura realizzazione e le strutture per lo svago ed il divertimento. Ciò darà origine ad uno spazio pubblico lungo il fronte lagunare, mentre ad ovest schermerà le imbarcazioni per la raccolta dei rifiuti. Il campo principale al centro dell'isola riprende il campo tradizionale veneziano, con la sua ampiezza e pavimentazione; esso è caratterizzato dal centro civico ed è fiancheggiato da un canale. Nel centro pubblico sul margine ovest del campo è prevista una biblioteca. Il secondo campo è situato lungo la laguna ed accoglie degli alberi che creano una continuità con la cintura verde attorno all'isola. Un porticato tra il campo e la laguna inquadra un grande ingresso acqueo. Ad est, il primo piano porticato di un edificio costituisce un terzo spazio coperto lungo il canale, nel quale si potranno ormeggiare e riparare le imbarcazioni. Gli edifici si frappongono tra il percorso centrale pavimentato e la cintura verde esterna. Si potrà accedere alle unità abitative individuali da entrambi i lati dell'edificio, garantendo la massima luminosità e ventilazione. Sono previste varie tipologie di appartamenti, che variano dal monolocale all'appartamento con quattro camere da letto, per rispondere alle varie esigenze dei residenti.

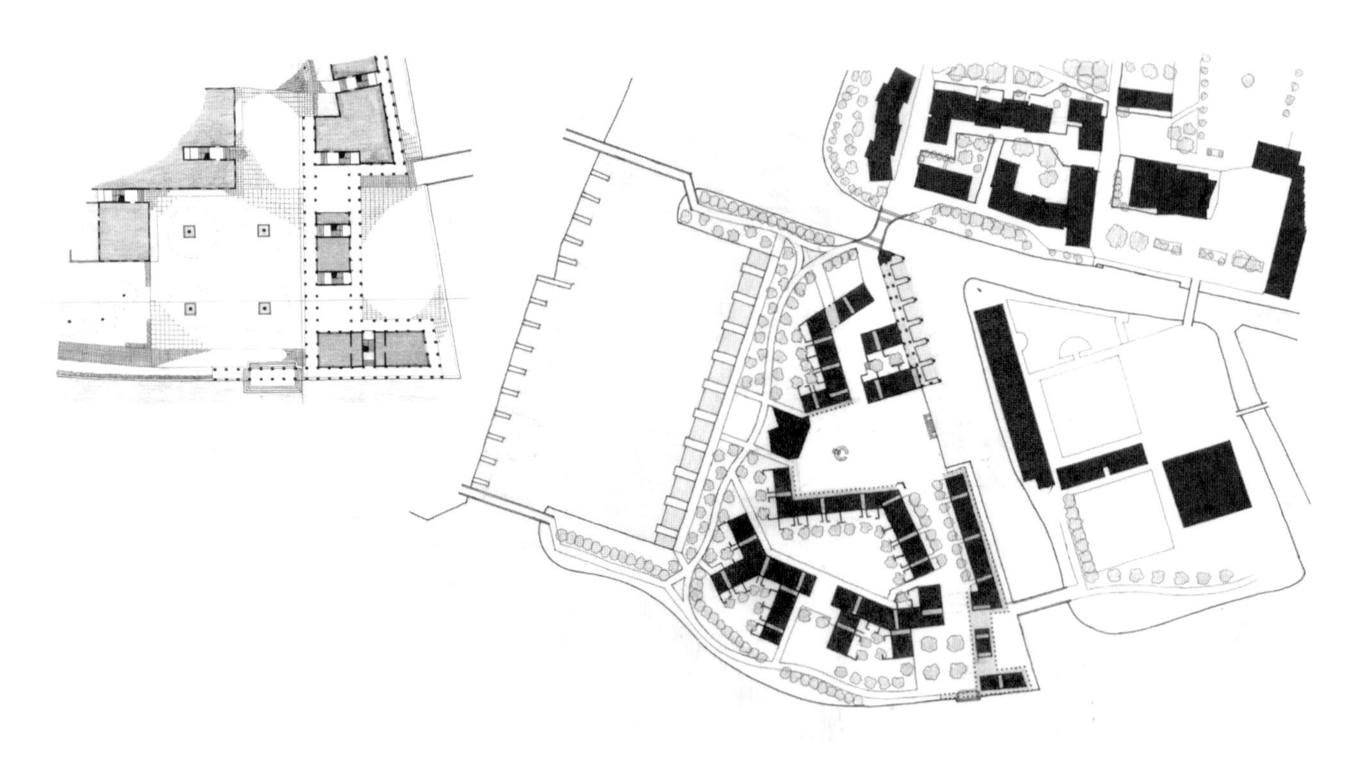

Throughout the island, vegetation can be seen weaving in and out of the buildings. As a part of the Giudecca, Sacca San Biagio West has the opportunity of this green space. To connect the future park to the recreation facilities a green belt is proposed along the west and south sides of the island. This also provides public space on the desirable lagoon edge, and a screen to the garbage boats on the west.

The main campo in the center of the island acts as a traditional Venetian campo by being large, paved, marked by a civic building, and bordering a canal. The civic building is a proposed library at the west end of the campo. The second campo situated along the lagoon incorporates trees to continue the green belt around the island. An arcade screen between the campo and the lagoon frames a monumental water entrance. On the east, a third open space along the canal connects an arcaded first floor on the building. This open space would be for boat and other marine equipment repair.

Buildings on the island mediate between the paved center path and the exterior green belt. The individual housing units have access to both sides of the building. This allows for maximum light and breeze penetration. A variety of apartments ranging from a studio to a four bedroom is to ensure a variety of residents on the island.

Kelly Vaughn

L'intervento si pone come una barriera tra le attività di VESTA e le preesistenze, necessita dunque una protezione dall'inquinamento acustico e dalle viste indesiderate, dovute alla prossimità con gli impianti per la raccolta dei rifiuti. Una nuova stretta isola nell'ampio canale permette di creare una barriera visiva ed acustica grazie ad una fila di alte alberature. Quest'isola, inoltre, divide il canale in due darsene. Le imbarcazioni di VESTA potranno utilizzare il lato ovest, separate visivamente da un nuovo complesso residenziale a Sacca San Biagio Ovest. La darsena sul lato est sarà invece utilizzata dai residenti per ormeggiare le loro imbarcazioni private. Nell'isola si estendono vari percorsi, che articolandosi dall'asse distributivo principale consentono l'accesso alle unità residenziali e agli altri spazi pubblici dell'isola. Gli edifici sono orientati in modo da consentire l'illuminazione naturale ed almeno un'ampia vista a lunga distanza. Per ottenere ciò, le altre vedute nelle parti più private delle abitazioni divengono a breve distanza, aprendosi su una calle che funge da corridoio d'accesso agli appartamenti. Sulla facciata pubblica degli edifici si trovano le aperture che offrono le vedute a lunga distanza, dato che al contempo, lo stesso lato gode di un'ampia apertura degli spazi pubblici aperti circostanti.

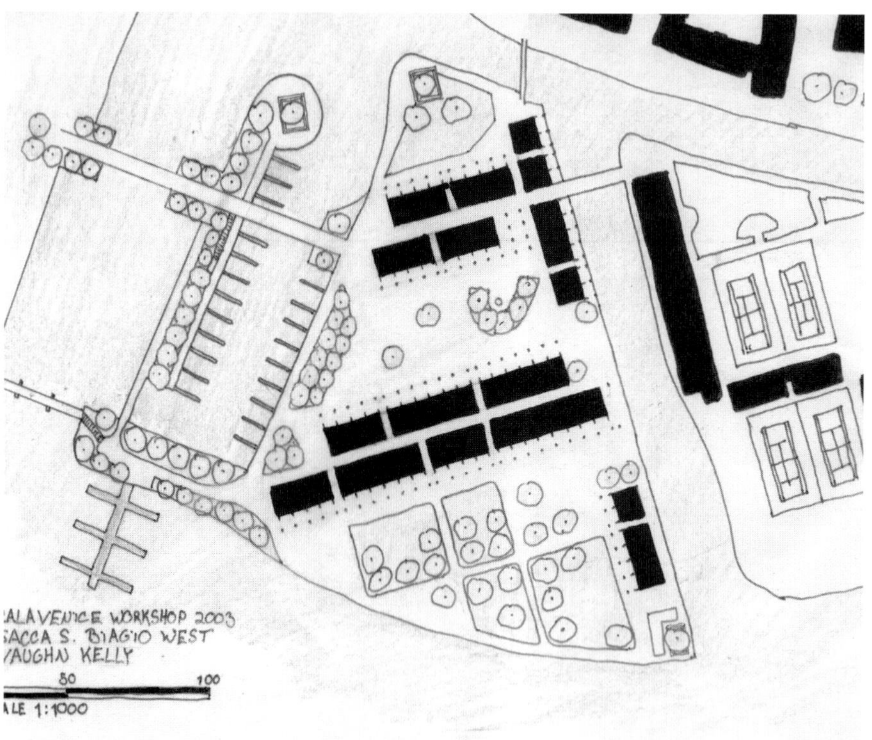

This new development becomes a buffer zone between VESTA activities and existing development, but as such, it needs protection for itself, from noise pollution and undesirable sight lines created by its proximity to the waste management facilities. A new, thin island in the wide canal creates a visual buffer and a somewhat sound-absorbent layer by being planted with tall trees. This island also divides the canal into two marinas. VESTA boats park on the West side, visually hidden from the new housing development on Sacca S. Biagio West. The marina on the East side allows for private boats belonging to residents to be parked. Within the island of Sacca S. Biagio West, paths extend from the main axis to allow people access to housing and to other public spaces throughout the island. Buildings are oriented to allow natural light into every unit while also giving each unit at least one long view. In order to create such a long view for each unit, the other view becomes very short, but this is the more private side of the building. The short view is into the calle as an entry corridor to the housing units. The public facade becomes the side that gives the long view because it also receives a long view from the open public spaces.

Betsy Vohs

Il programma progettuale prevede degli appartamenti per gli studenti universitari che attualmente si spostano dalla terraferma a Venezia. Nello specifico, vi sono degli alloggi per studenti universitari e giovani professionisti. Il progetto intende introdurre delle nuove e vitali connessioni sociali nella comunità, e vuole introdurre degli spazi pubblici affacciati sulla laguna. Questa dinamicità ed energia sono trasferite all'interno di ogni unità abitativa, che è dotata di cucina, bagno, ripostiglio. Le dimensioni variano dal monolocale alle due stanze da letto. Con le facciate degli edifici si vuol esprimere flessibilità e dinamicità. Ogni unità è dotata di terrazze che garantiscono uno spazio aperto privato, mentre il giardino ed il tetto terrazza fanno parte degli spazi comuni dell'edificio. Nel progetto gli spazi pubblici sono articolati come parte di un percorso, nel quale gli elementi architettonici sono definiti per originare varie spazialità. Inoltre, il progetto dei nuovi edifici residenziali incontra le esigenze della stessa Venezia, rigenerando gli spazi pubblici e quelli commerciali.

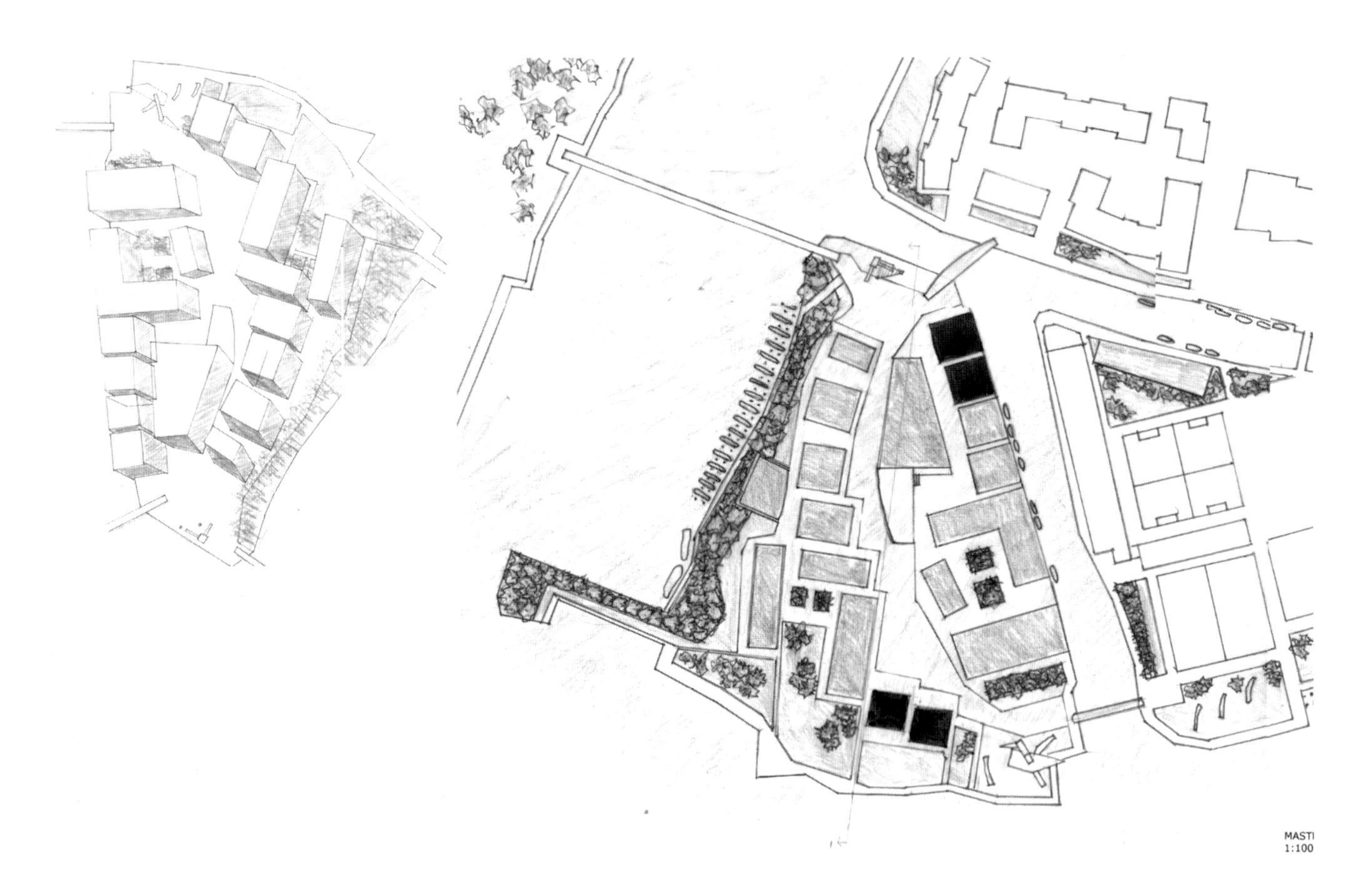

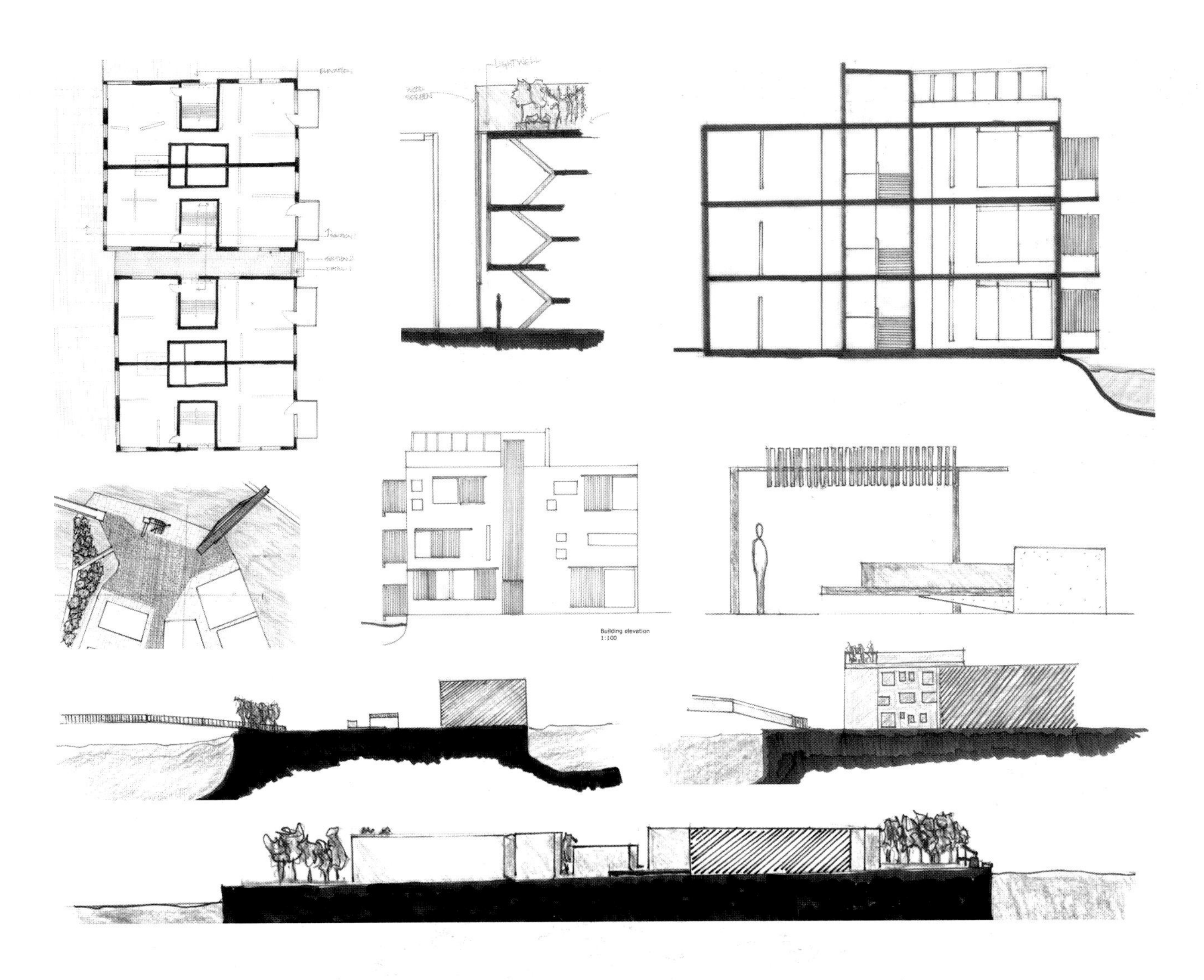

The program for this design was to create housing for university students that currently commute from the mainland into Venice for classes. Specifically this program would provide housing for graduate students and other lower to middle-income professionals. The ideas of energy, reconnecting to the existing community and the creation of public space on the lagoon are the main concepts of the project.

Movement and energy are translated into the interior layout of each unit. Each unit has millwork shelves, a kitchen, closet and bathroom. The apartments range from studio size through two bedrooms. Flexibility and movement is apparent in the façade of the residential buildings. Terraces for every unit provide a private exterior space as well as a roof terrace and garden for the entire building.

Overall, the design of this island uses public space as a path in which architectural elements are sited to create place. The program of the new development will serve some of the housing needs of Venice likewise; it can regenerate the existing commercial and public spaces.

Alan Wahlstrom

Il piano per Sacca San Biagio ovest richiede uno studio dei flussi di circolazione nell'isola, e si fonda su quattro fattori principali: l'interazione terra/acqua; la gerarchia tra spazi privati e pubblici; le visuali ed i punti di vista migliori e l'impiego degli spazi verdi come una potenziale barriera agli elementi con impatto negativo. Gli edifici si articolano su una rete di spazi aperti che garantiscono varie interazioni tra le residenze e private, le aree pubbliche e i percorsi dell'isola. Vi sono due campi, che costituiscono gli spazi aperti principali, poi equilibrati da varie corti minori che costituiscono l'accesso alle unità abitative. Le corti, inoltre, sono connesse ad uno spazio verde che garantisce ai residenti un'area per il relax vicina all'abitazione. Le varie tipologie sono sviluppate tenendo conto dell'esigenza di privacy, in base ai flussi di persone prossimi a ciascun edificio. Sono previste tre tipologie di unità abitative, con uno sviluppo verticale che separa le funzioni private dal livello pubblico al livello terra. Gli appartamenti con un solo piano sono concentrati uno sopra l'altro, per garantire maggior privacy e densità edilizia.

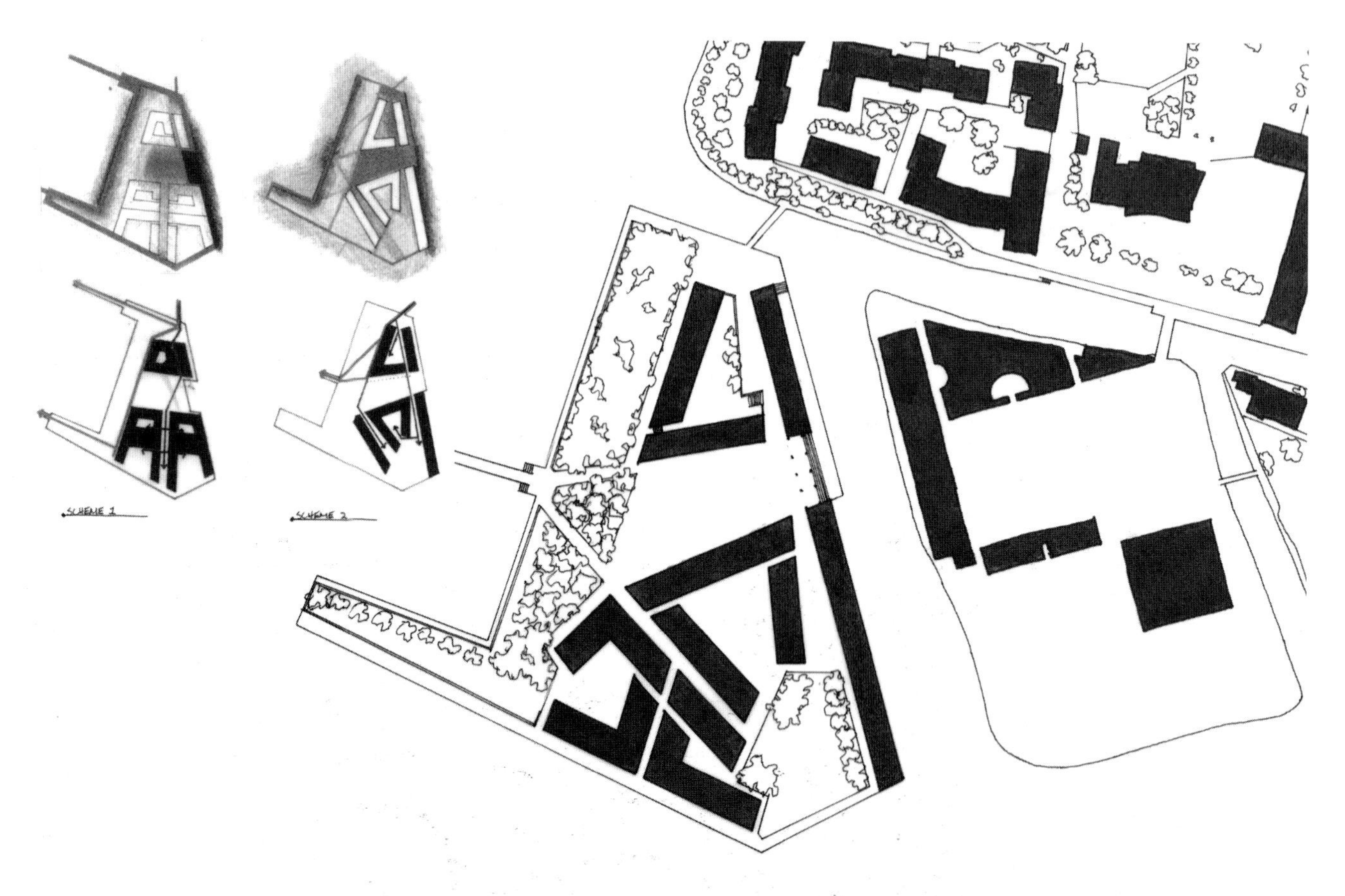

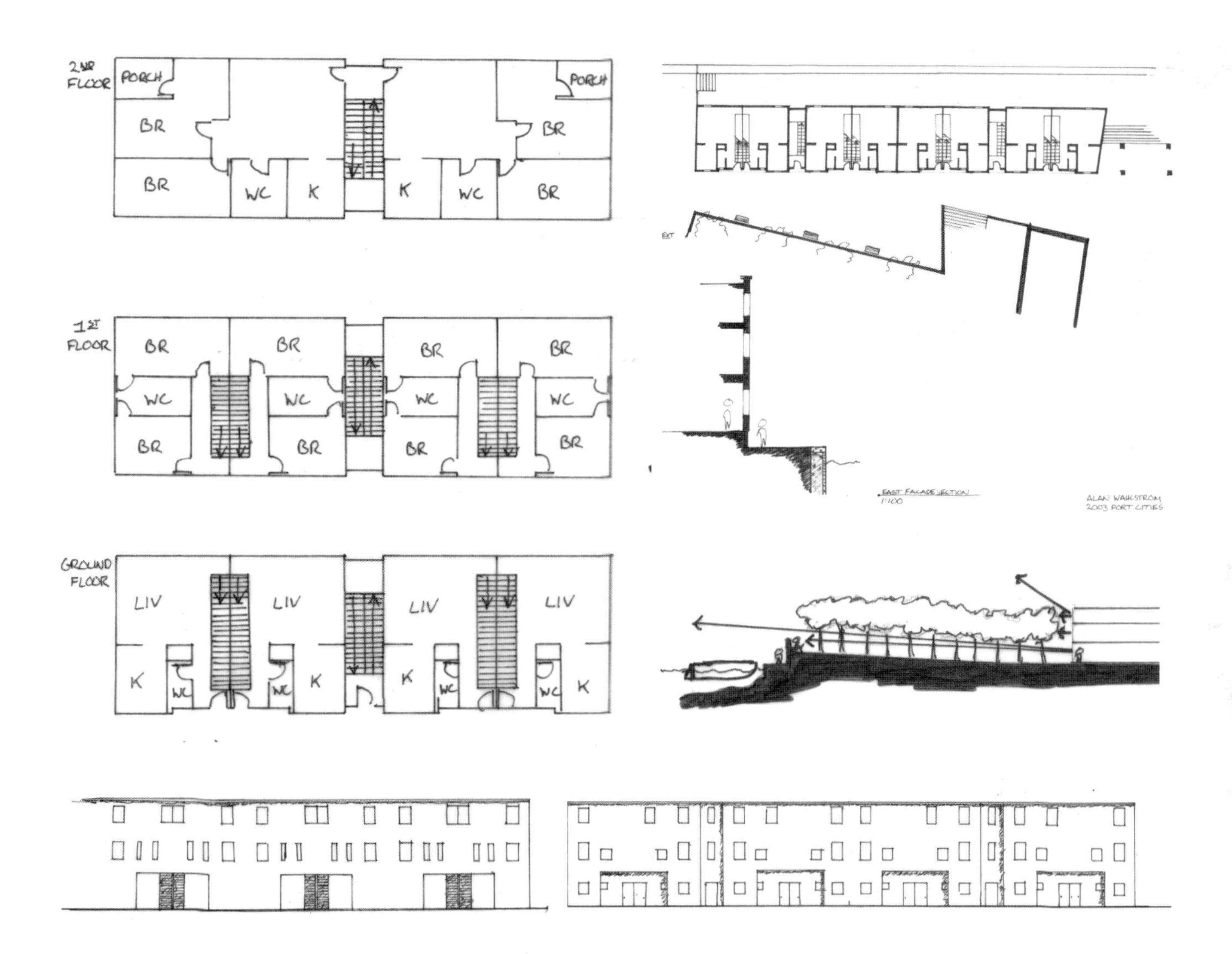

The Sacca San Biagio redevelopment project is one that requires logic to inform the design moves on this island. The logic begins with an analysis of the four factors that most affect the island. These factors are; land/water interaction, hierarchy of open/public spaces, desirable views from the island, and the use of green space as a potential buffer for negative views.

The buildings then took form around a network of open spaces providing multiple relationships between resident's private dwellings and the public spaces and paths on the island. Campy are the two primary open spaces balanced by many smaller corte that serve as entry courts to dwelling units. The corte are also linked to a green space to provide the residents with access to leisure space close to home.

The dwelling types were developed based on the need for privacy relative to how much traffic will be affecting each building. Three unit types were developed with a vertical plan separating private functions from the public ground level. Single story dwellings are stacked atop one another to provide greater privacy, density and more units.

Jeffrey Weis

L'elemento chiave del progetto è l'idea di margine. Anche se la caratteristica principale di Venezia è la sua verticalità, l'isola di Sacca San Biagio è dotata di ampie viste sulla laguna sud. Ciò alimenta l'impegno di definire gli spazi pubblici adottando il lessico veneziano in un contesto straordinario, ma non così comune a Venezia. Per raggiungere tale obiettivo, sono previsti tre campi separati, con varie scale e dimensioni. L'impianto residenziale nasce dallo studio della tipologia della casa a schiera. I campi veneziani non sono definiti da una tipologia specifica, ma dalla morfologia degli edifici circostanti (forma e struttura). Ogni edificio ha una parete che delimita lo spazio pubblico esterno. Lo spazio tra ogni blocco edilizio di sei appartamenti diviene una corte semi-privata per le unità circostanti. Ponendo gli edifici a contatto con il fronte acqueo e ricavando uno spazio tra i blocchi residenziali, si permette all'acqua di divenire in varie piccole corti un elemento integrante nella vita di tutti i giorni. Gli spazi pubblici al di fuori dei campi e della corti sono pavimentati con piccole mattonelle a mosaico. In sezione queste aree hanno un'accentuata inclinazione. Lungo il margine tra terra e laguna, vi è invece un'inclinazione più dolce e amplia, dando un'espressività artistica al fenomeno del salire e scendere della marea; al contempo, sono introdotti lungo il fronte acqueo degli spazi per l'interazione sociale, la pesca, il relax e lo svago.

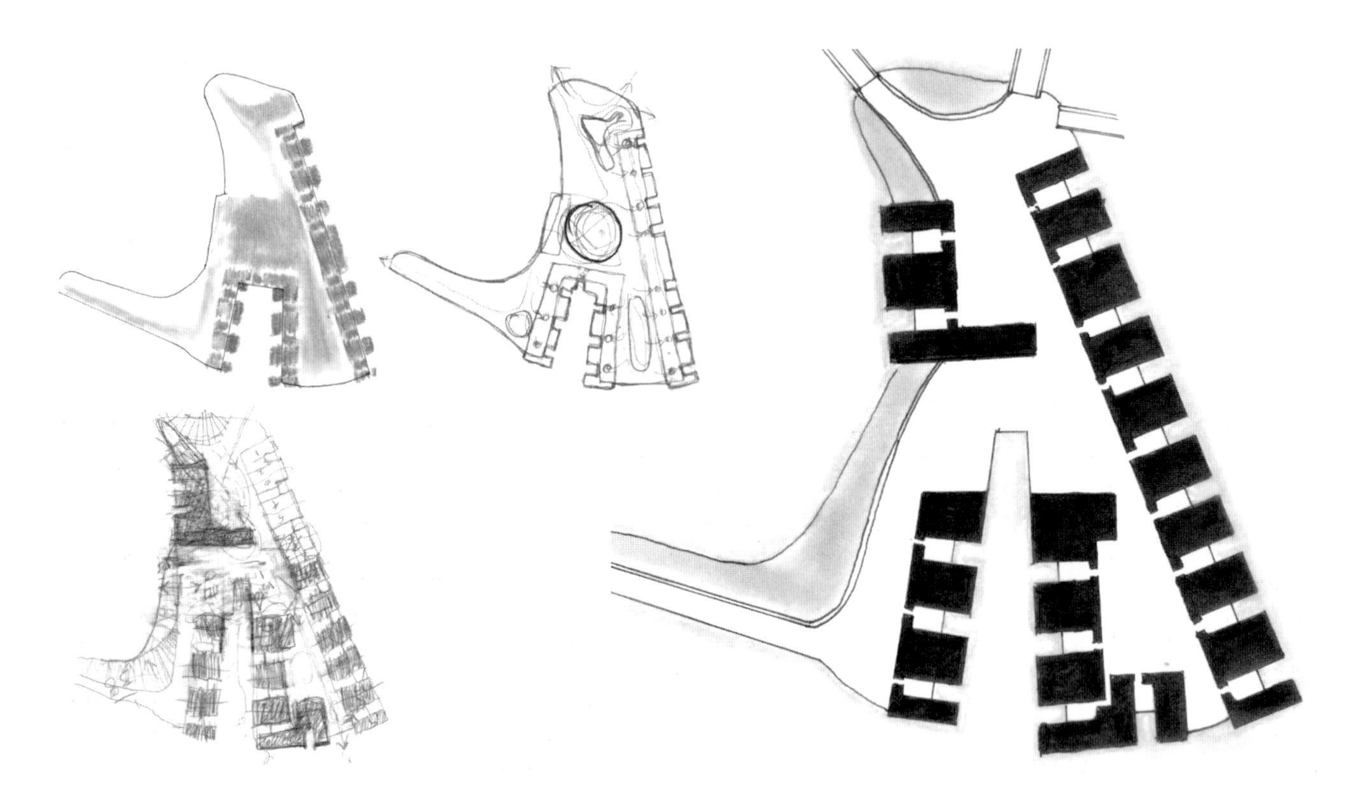

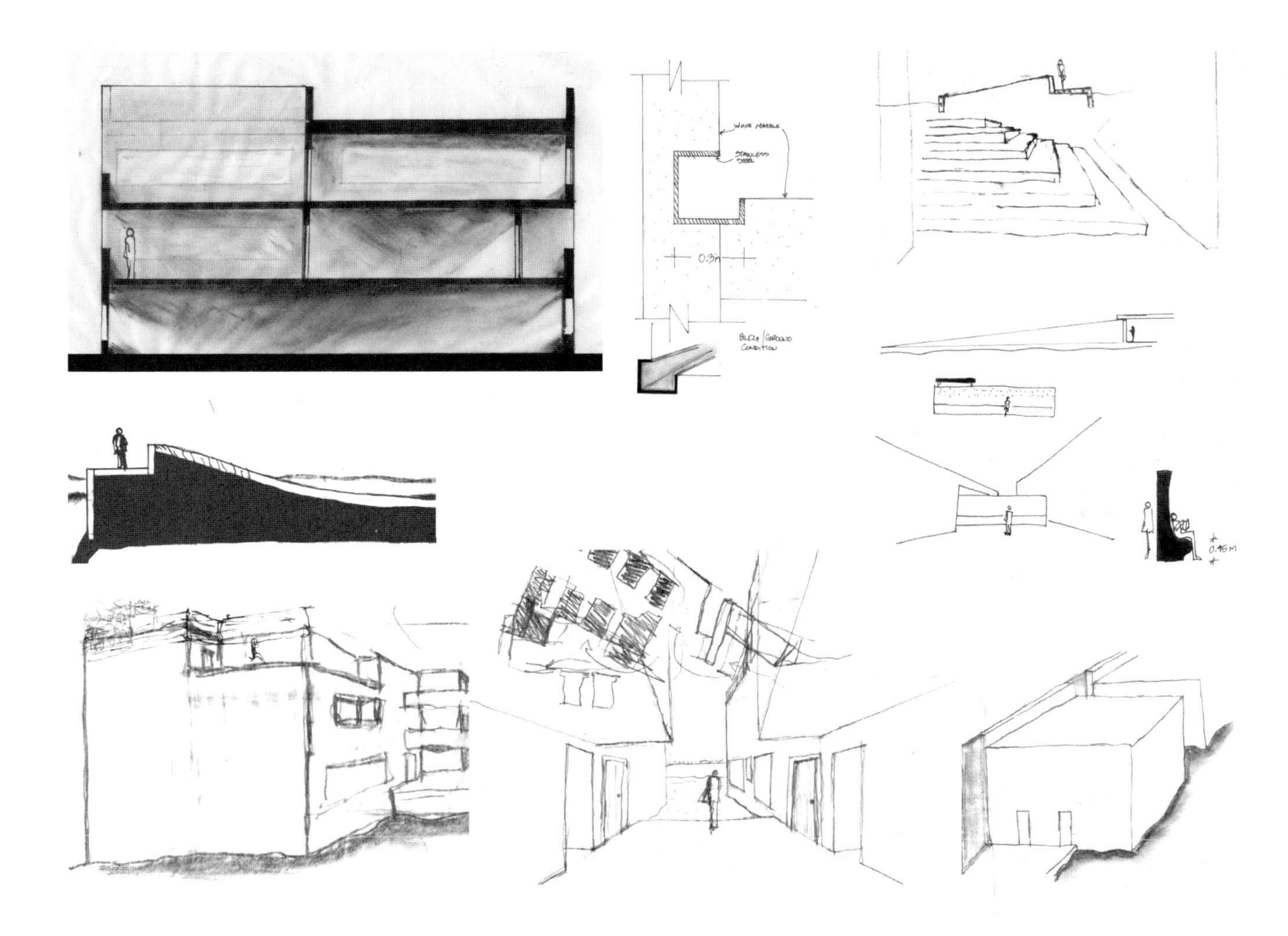

The idea of the edge became the jumping point in this project. Although much of Venice is predominantly vertical, this island is gifted (because of its extreme location) with sweeping views of the Lagoon to the south. This presents a challenge of how to enclose public space using the Venetian text in an extraordinary, but not so Venetian setting. To do this, three separate areas function as Campos of different scales and sizes.

The proposed housing was developed starting with a row house typology. The Venetian Campi are formed not by typology but by their surrounding buildings' morphology (form and structure). Each building provides a wall that then encloses an exterior public space. The spacing between each block of six flats becomes a semi-private courtyard for its surrounding flats. By placing the buildings directly on the water edge and excavating between each housing block, the water becomes part of the experience of everyday life in each of the small courtyards provided.

Public space aside from Campi and courtyards are treated with mosaic tiles. In section, these areas show a steeper slope inland. A much broader, longer slope takes form as the land falls into the lagoon. Its purpose is two fold. First, it should provide an artistic expression of the tides bi-daily approach and fade. Secondly, it should provide a space for human activities on the water's edge such as sitting, meeting, fishing and reflecting, amongst others.

Max Windmiller

Le scelte programmatiche per il sito devono supportare la comunità della Giudecca, mantenendo al contempo una relazione con Venezia. Il progetto di residenze per studenti universitari può portare all'intera area una nuova vitalità ed energia.
La definizione del piano è data dai flussi di circolazione nell'isola. Il percorso distributivo principale è articolato lungo tre campi, non rigidamente definiti: ciascuno assume una forma differente cambiando il punto di vista, dando così origine ad una nuova interpretazione spaziale del campo stesso. Si intende creare lungo il fronte ovest una barriera visiva alle imbarcazioni di VESTA e al sito di raccolta dei rifiuti, riportando del terreno e impiegando varie piante ed alberature. Il ritmo di Venezia è reinterpretato nella composizione progettuale degli edifici. Ad esempio, a Venezia vi è spesso una cornice in pietra bianca attorno alle finestre: il progetto riprende questo tema introducendo delle esagerazioni e delle irregolarità in tale cornice. Gli edifici proposti sono angolati l'uno verso l'altro, in una composizione architettonica che genera degli spazi intimi ed ombreggiati.

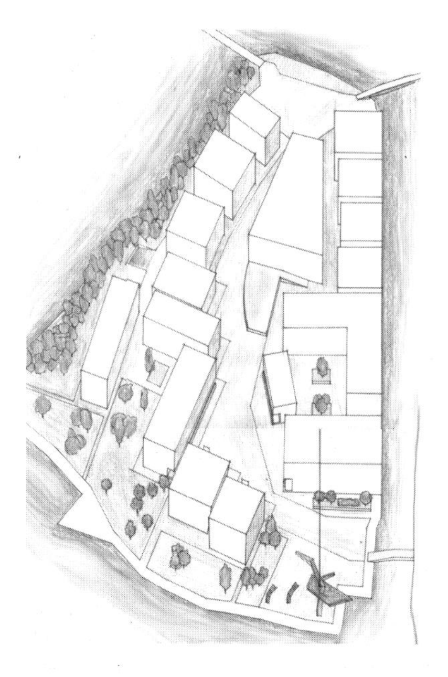

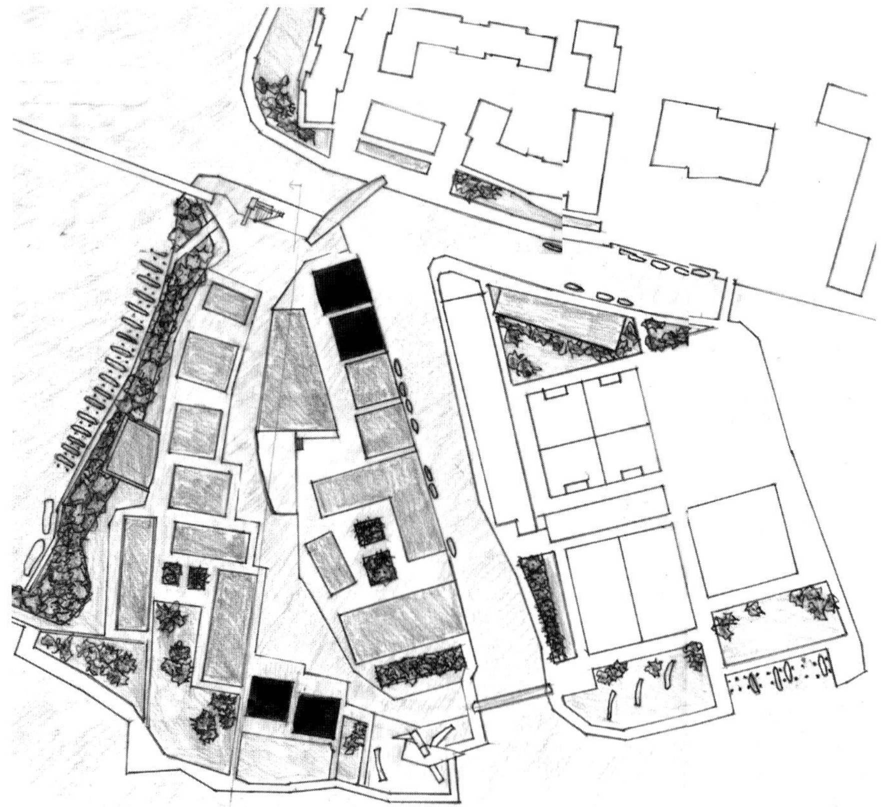

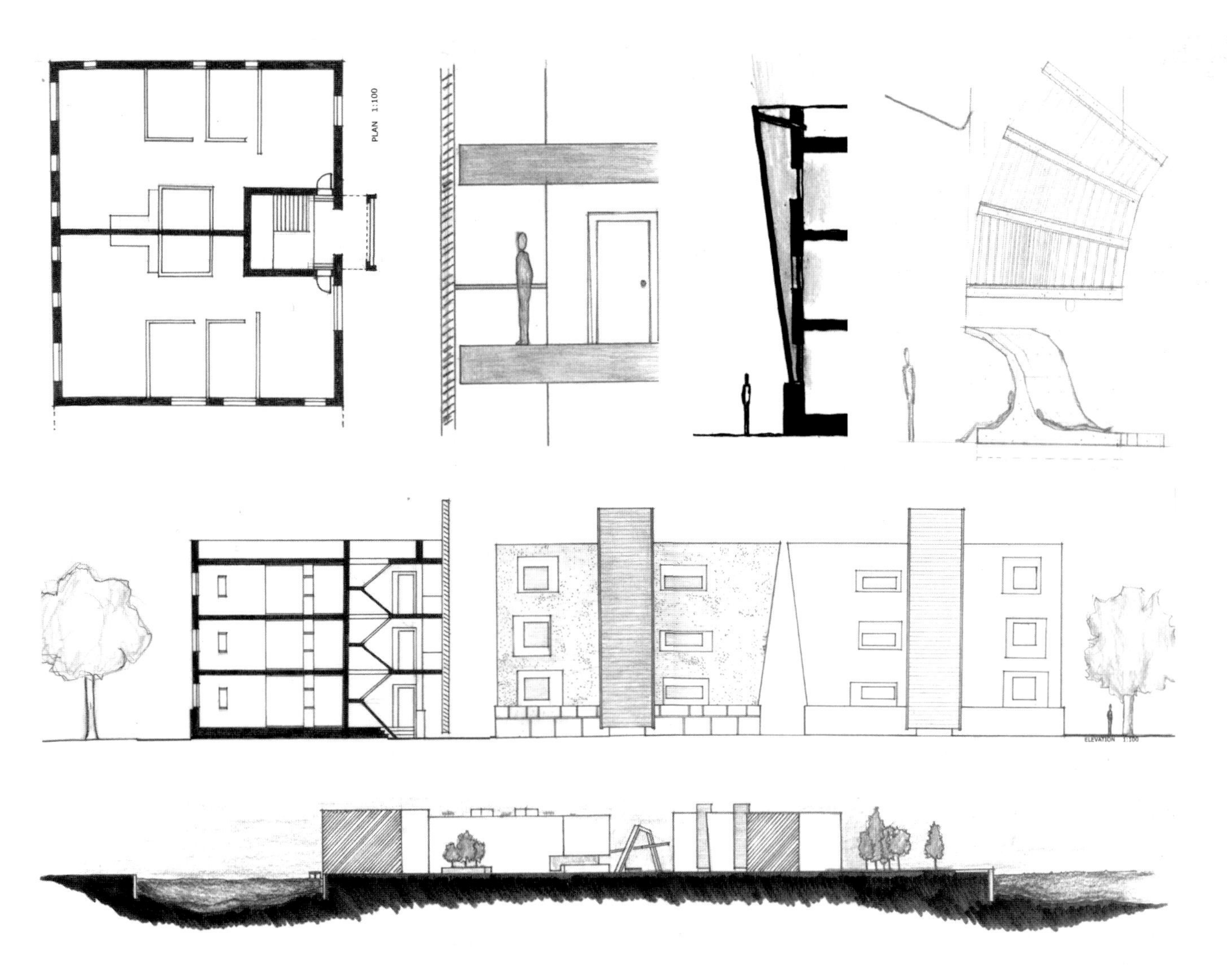

Programmatic decisions for the site are to support the community of Giudecca, but also to maintain a link with Venice. More housing for university students in this area gives the opportunity to bring more life and energy to the region.
The arrangement of the master plan is driven by how people move throughout the island. The central circulation path has three loosely defined campi. Each takes a different form with changing views, which results in a new interpretation of the individual campo. On the western edge, a rising earth-mass and layers of vegetation becomes a buffer against the site and sound of the VESTA garbage boats.
The rhythm of Venice is recognized and reinterpreted in the building design concept. For example, window openings in Venice are often framed in white stone. The proposed design meets these situations with an exaggeration and irregularity of the window frame. The proposed buildings lean toward each other in an intentional and architectural fashion in order to create a space of enclosure and shadow.